AU CŒUR
DES ÉMOTIONS
DE L'ENFANT

DU MÊME AUTEUR

Chez le même éditeur :

L'Intelligence du cœur, Paris, 1997. Marabout, 1999.

Aux éditions La Méridienne :
Le Corps Messager, avec la collaboration d'Hélène Roubeix,
Paris, 1988, 1998.

Aux éditions L'âge du Verseau :
Trouver son propre chemin, Paris, 1991. Presses Pocket, 1992.

Aux éditions Dervy :
L'Alchimie du bonheur, Paris, 1992, 1998.
Le Défi des mères, en collaboration avec Anne-Marie Filliozat,
1994.

Cassettes audio :
◊ Relaxations-visualisations, *Trouver son propre chemin*, vol.
1 et 2.
◊ Conférences publiques.
À commander auprès d'Isabelle Filliozat, 75, av. Henri-Mar-
tin, 94100 Saint-Maur, ou à votre libraire.
Tél : 01-42-83-07-51
Fax : 01-48-89-01-92
E-mail : ifilliozat@Wanadoo.fr

Isabelle Filliozat

AU CŒUR
DES ÉMOTIONS
DE L'ENFANT

*Comprendre son langage,
ses rires et ses pleurs*

JC Lattès

Ouvrage publié sous la direction de Marianne Leconte

PR23.688X

À mon père,
qui militait et milite encore contre l'utilisation du mot « édu-
quer » et préférait pour sa part « accompagner » ses enfants.
Encore marqué par la violence de ses parents à son égard, il
n'a pas toujours réussi à être là avec ses enfants, mais a été
là pour eux. Il m'a aimée, respectée et considérée comme une
personne, il a su me donner ce qu'il n'avait pas reçu.

À Margot et Adrien,
qui m'ont faite mère.

À Suos Pom, sage-femme, au Pr Biziau et à Corinne Drescher-
Zaninger, obstétriciens, qui ont accompagné les plus intenses
moments de bonheur de ma vie.

À la LLL Leche League, et à sa présidente Claude Didierjean-
Jouveau qui m'a aidée à allaiter mes enfants et m'a ainsi
ouverte à une dimension fabuleuse d'intimité.

Remerciements

Je remercie toutes les personnes qui ont fait ce livre, tous ceux qui m'ont inspirée, m'ont posé des questions et obligée à réfléchir, tous les parents qui ont témoigné de leur vécu, tous les enfants qui m'ont confié leur histoire. Les exemples sont puisés dans ma pratique professionnelle, dans ma vie personnelle ou celles de mes amis.

Je remercie Marianne Leconte qui a cru en moi et m'a aidée, plus qu'elle ne l'imagine, à faire éclore, puis s'affiner mes compétences d'écrivain.

Je remercie mon père et ma mère pour leur relecture attentive du manuscrit, mais surtout pour m'avoir toujours écoutée et respectée.

Je remercie Patrice Le Bon pour son soutien, sa confiance et son exigence.

Je remercie Jean Bernard, Adrien et Margot Fried pour leur amour.

« Vous dites :
c'est fatigant de fréquenter les enfants.
Vous avez raison.
Vous ajoutez :
parce qu'il faut se mettre à leur niveau,
se baisser, s'incliner, se courber, se faire petit.
Là, vous avez tort.
Ce n'est pas cela qui fatigue le plus.
C'est plutôt le fait d'être obligé de s'élever
jusqu'à la hauteur de leurs sentiments.
De s'étirer, de s'allonger, de se hisser
sur la pointe des pieds.
Pour ne pas les blesser. »

Janusz KORCZAK

Introduction

Avoir l'intelligence du cœur, c'est savoir aimer, comprendre autrui, se réaliser, être soi en toutes circonstances, et réagir dans les situations émotionnellement difficiles : conflits, échecs, deuils, séparations, épreuves, mais aussi succès, rencontres, réussites de tous ordres. C'est en somme la capacité à être heureux, à ne pas se laisser dominer par l'adversité, à choisir sa vie et à établir des relations harmonieuses avec les autres. Qui ne désirerait cela pour ses enfants ?

Qu'est-ce qui nous retient dans l'existence et peut nous empêcher d'être heureux ? Qu'est-ce qui peut rendre infirme du cœur ? La mémoire (souvent inconsciente) des souffrances d'enfant et les peurs qui en découlent : peur d'être jugé, blessé, humilié, rejeté ou ignoré, peur d'un échec qui mette en doute nos capacités de réalisation, peur d'un rejet qui nous dise que nous n'avons pas notre place parmi les autres, peur de l'autre, peur de mourir...

Parce que ce sont la peur, la souffrance et la colère rentrée, et non une tare constitutionnelle, qui peuvent empêcher une personne de se montrer telle qu'elle est et d'entrer en relation juste avec les autres, parce que c'est la peur ou la douleur qui inhibe, et non un cerveau déficient, nous pouvons aider nos enfants en évitant de les blesser et en leur apprenant la confiance.

La société d'aujourd'hui n'est plus celle d'hier. Les recettes éducatives d'hier ne sont plus adaptées. Dans la société actuelle et plus encore dans celle de demain, la route du succès passe par la confiance en soi, l'autonomie et l'aisance relationnelle. Les aptitudes à la communication et la maîtrise de ses émotions sont devenues au moins aussi importantes que les compétences techniques. Pour réussir dans sa vie personnelle comme professionnelle, l'intelligence du cœur est plus fondamentale que jamais. **Nourrir le quotient intellectuel de nos enfants est insuffisant. Nous devons nous préoccuper de leur quotient émotionnel.** De plus, nombre de difficultés intellectuelles et scolaires ont pour origine des blocages émotionnels.

Aucun parent n'aime voir son enfant affalé devant la télé ou accroché à sa console de jeux. Comment aider nos enfants à résister à l'invasion des écrans, à la prolifération des consoles de jeux, téléviseurs, vidéo, ordinateurs... comment les aider à résister à la violence et au rythme hypnotique de défilement des images des jeux électroniques, clips, publicités, films ou émissions à succès, et jusque dans les dessins animés ?

Aucun parent ne supporte l'idée que son enfant sombre dans la violence, la boisson ou la toxicomanie. Comment armer nos enfants face à ces tentations, quand la violence est présente jusque dans les écoles, quand la consommation d'alcool et de drogue touche les jeunes de plus en plus tôt ?

Aucun parent ne désire que son enfant devienne adepte d'une secte, et abdique sa volonté propre pour suivre autrui aveuglément. Comment donner à nos enfants suffisamment de confiance en eux, de sécurité intérieure et d'autonomie pour qu'ils ne risquent pas de succomber à la séduction d'un gourou ?

Comportements violents, dépendances relationnelles, télévisuelles, toxicomaniaques ou médicamenteuses, sont autant de tentatives de contrôle d'émotions ingérables. **Ces symptômes prennent racine dans l'enfance. Ils recouvrent des manques, des blessures relationnelles, des échecs de communication.**

Timidité, dévalorisation ou au contraire survalorisation de soi sont les résultats d'une histoire. Sentiments blessés, intentions incomprises, comportements mal interprétés... les occasions de souffrance sont nombreuses dans la relation parent-enfant.

L'enfant est une personne. L'émotion est au cœur de l'individu, c'est l'expression de sa Vie. Savoir l'écouter, la respecter, c'est écouter sa personne, la respecter. Les parents sont souvent démunis devant l'intensité des affects de leurs enfants, ils cherchent volontiers à les calmer, à faire taire les cris, les larmes, l'expression de l'émoi. Or, **l'émotion a un sens, une intention. Elle est guérissante.** Les décharges émotionnelles sont le moyen de se libérer des conséquences d'expériences douloureuses. Au contraire, ainsi que je l'ai montré dans mon dernier livre *L'Intelligence du cœur*, la répression des émotions est nocive. Elle nous entraîne dans toutes sortes de processus défensifs, de répétitions douloureuses, de compulsions et de symptômes physiques.

Il est urgent d'apprendre à identifier, à nommer,

à comprendre, à exprimer, à utiliser positivement les émotions, sous peine d'en devenir esclaves, pour le bonheur de nos enfants et des adultes qu'ils deviendront.

On le sait aujourd'hui, tout se joue avant six ans... Que faire ? Que ne pas faire ? Comment faire ? Et surtout comment être ? Les parents (responsables) se posent de nombreuses questions.

Dès qu'une femme est enceinte, les conseils pleuvent. Chacun y va de son idée sur l'allaitement, le couchage et « la manière d'accommoder les bébés » et, plus tard, sur l'autorité, les fessées et les punitions... « Surtout ne les laissez pas dormir dans votre lit... Il faut leur mettre des limites... Un bébé a besoin de sommeil... Un garçon ne doit pas jouer à la poupée... Il ne faut pas les consoler quand ils tombent sinon ils deviendront des poules mouillées... Si vous le laissez faire ce qu'il veut, vous allez en faire un délinquant... Il faut faire ceci, il ne faut pas faire cela... » Et ce n'est que le début d'une longue série de « yaqu'àfautqu'on ». Tout parent est largement abreuvé de conseils bien intentionnés et de « questions » lourdes de sous-entendus sur l'éducation qu'il donne à ses enfants.

Tout se dit, et son contraire. Les parents reçoivent pléthore de conseils... Mais somme toute, fort peu d'informations. Car si chacun a son idée et l'affirme haut et fort, l'information objective est peu représentée. Nombre d'opinions concernant l'éducation sont assenées avec d'autant plus de virulence voire de violence qu'elles sont irrationnelles et ne reposent sur aucune analyse sérieuse.

Les parents sont bien en peine de faire le tri entre les diverses conceptions. Ils sont vite désorientés, sinon désemparés. Les idées des conseilleurs sont souvent assorties de menaces plus ou moins indirectes : « Vous ne vous rendez pas compte, c'est comme ça qu'on fait des drogués » ; de culpabilisation : « Il faut voir du côté de la mère », ou : « C'est parce que les parents divorcent. »

Alors, loin de moi l'idée de vous proposer un énième livre de conseils. Les parents vivent aux côtés des enfants au quotidien. Ils les connaissent mieux que tout « expert », fût-il pédiatre ou psychanalyste de renom. Mais parfois blocages et malentendus peuvent faire obstacle à une relation harmonieuse et à une véritable compréhension. Si un « expert » peut vous aider, c'est à lever ces barrages.

Ce livre vise à éclairer la route pour mieux contourner ce qui peut l'être, dénouer des nœuds et vous aider à franchir quelques-uns des obstacles. **Une jeune mère, un jeune père, ont besoin de repères... mais pas de conseils... Ils ont besoin d'apprendre à se faire confiance et à faire confiance à leurs enfants.**

Deux postulats fondamentaux guident cet ouvrage :

◊ **Les enfants nous disent ce dont ils ont besoin** à chaque étape de leur développement pour peu que nous sachions les écouter et décoder leur langage.

◊ **Les parents peuvent comprendre leurs enfants** et avoir une attitude juste envers eux pour autant qu'ils n'obéissent pas de manière automatique à des principes éducatifs, qu'ils ne soumettent pas aveuglément leur jugement aux experts, qu'ils ne soient pas enfermés dans des schémas rigides issus de l'éducation qu'ils ont reçue, ou ne restent encore trop blessés par leur propre histoire.

Pouvons-nous parler de l'éducation de nos enfants sans parler de celle que nous avons reçue et combien elle a pu nous marquer, consciemment ou non ? Quand situations ou attitudes de nos enfants nous énervent, appellent notre violence... il est clair que nous avons besoin de guérir notre histoire personnelle pour entendre la réalité d'aujourd'hui sans y projeter notre passé et agir de façon plus juste et efficace. Quand nos relations à nos enfants sont trop difficiles, il est probable que nos émotions, notre biographie y sont pour quelque chose, il est alors utile de consulter un psycho-thérapeute.

Peut-on aider ses enfants à développer leur quotient émotionnel ? Comment avoir confiance en ses compétences de parent ? Ces questions seront au centre du premier chapitre.

En ce qui concerne l'éducation, il n'y a pas de recette absolue. S'il y a des lois du développement qui sont sans nul doute utiles à connaître, **il n'y a pas de « il faut »**, pas de solution miracle qui donne à tous coups un adulte « réussi », ce qui est juste à un moment donné, ne l'est plus quelque temps plus tard. **Plutôt que de chercher des réponses toutes faites, des recettes infaillibles à appliquer, apprenons à penser et à décider par et pour nous-mêmes.** Dans le deuxième chapitre, je vous propose sept questions à vous poser pour répondre à nombre de situations.

Le sentiment d'identité se fonde sur la conscience de soi et de ses émotions. Dans le chapitre III nous explorerons le monde des émotions : Que sont-elles, à quoi servent-elles, comment y répondre ? Doit-on encourager son enfant à réprimer ses affects pour être

« fort » ou doit-on prêter de l'attention à ses peurs, ses pleurs ou ses colères ? Comment l'aider à devenir courageux tout en restant sensible ?

Dans les chapitres IV, V, VI et VII, nous explorerons les dimensions respectives de la peur, de la colère, de la joie et de la tristesse.

Quand ses émotions ne sont pas entendues, l'enfant peut s'enfermer dans la dépression. Nous en décoderons les symptômes au chapitre VIII.

Drames, épreuves douloureuses peuvent survenir dans la vie d'un enfant. Au chapitre IX, nous verrons comment accompagner deuils, séparations, souffrances et maladies, comment aider nos enfants à les traverser.

Dans le chapitre X enfin, nous évoquerons quelques idées pour accroître le plaisir et la joie de vivre avec nos enfants.

Avant de partir pour l'exploration du monde des émotions, un dernier rappel : nos enfants ne nous attendent pas parfaits mais seulement humains. On ne peut éviter toute erreur. Elle est inhérente au processus d'apprentissage. **Cessez de vous préoccuper d'être « une bonne mère » ou « un bon père », soyez plutôt attentifs aux besoins de vos enfants.**

Certains passages dans ce livre pourront vous surprendre, certaines affirmations vous paraîtront peut-être inhabituelles... prenez le temps d'y songer, d'en écouter les résonances en vous. Vous êtes nombreux à me le confier en conférence ou lors d'un stage, ce que je raconte n'a rien d'extraordinaire, c'est l'évidence, mais vous n'aviez pas vu les choses sous cet angle !

Quand un parent se préoccupe des conséquences de ses comportements sur ses enfants, il lui est volontiers dit qu'il se pose « trop de questions ». Ceux qui l'agressent ainsi appliquent des réponses préétablies sans se préoccuper du coût affectif pour leur progéniture. Qui fait le meilleur travail ? Se poser des questions est le propre de l'homme.

Vous avez l'impression de faire tout de travers ? Ne vous découragez pas. Vous avez acheté ce livre. Vous êtes donc désireux d'apprendre à respecter votre enfant et vous-même, d'apprendre à écouter vos émotions et les siennes. Ce sont des notions somme toute très nouvelles.

Souvenons-nous... hier encore on pouvait frapper un enfant avec un martinet ou le laisser dans un cabinet noir pendant des heures sans qu'un sourcil ne se fronce. Personne ne trouvait à redire ni aux menaces, ni aux coups, ni à la distance affective. Il fallait « dresser » ces petits monstres, les éduquer aux bonnes manières. Tous les coups étaient permis, les enfants ne pouvaient rien dire puisque tout cela leur était infligé « pour leur bien ». Il y a seulement deux générations, les enfants n'avaient que des devoirs. Tous les droits étaient du côté des parents (droit de cuissage, de vie ou de mort inclus). Nous faisons mieux que nos parents, et nos enfants feront mieux que nous. C'est le sens de l'évolution.

Vous vous culpabilisez d'une attitude envers vos enfants ? Regardez d'où vous venez et ce que vous-même avez subi dans votre enfance ! Cela vous aidera à relativiser. Vos sentiments de culpabilité n'apporteront rien à vos enfants. Préférez la responsabilité ! Le métier de parent est réellement difficile, impossible selon Freud, tant il nous confronte à nous-mêmes, à nos limites, à nos blessures non encore guéries, et tant les enfants nous reprocheront inévitablement un certain nombre de choses, puisqu'ils ont besoin de cela pour grandir, se sentir différents de nous et se séparer.

Et puis, lorsque vous êtes tenté de vous juger comme mauvais parent, considérez la réalité de l'aide et du soutien que vous recevez dans cette fonction ! Êtes-vous au moins deux pour vous occuper de ce chérubin ? Y a-t-il suffisamment de grands-parents, oncles, tantes, nourrices, baby-sitters, jeunes filles au pair, parrains, marraines ou ami(e)s pour vous seconder et vous relayer ? Prendre soin d'un bébé, c'est être disponible jour et nuit, c'est impossible à demander à une seule personne. Quand le poids de la responsabilité incombe à un seul des parents, et plus encore s'il est isolé, il est irréaliste d'attendre de lui qu'il puisse satisfaire les intenses besoins d'un tout-petit.

Ne placez donc pas la barre trop haut, soyez tolérant avec vous-même, et surtout **exprimez vos propres émotions et besoins.**

Écoutez votre enfant, donnez-lui la permission de libérer ses tensions, offrez-lui de l'espace pour ses décharges émotionnelles, il sortira grandi de toutes les difficultés de la vie.

J'espère que vous trouverez dans ce livre des ressources pour vivre plus heureux en famille. C'est en tout cas l'intention qui a guidé mon écriture.

Bonne lecture.

I

PEUT-ON DÉVELOPPER
LE Q.E. DE NOS ENFANTS ?

Enceinte de mon premier enfant, je faisais des vœux pour qu'il soit bon sans être servile, affirmé et à l'aise avec les autres sans être dominateur, courageux, entreprenant sans être orgueilleux ou cynique... heureux avec lui-même et avec les autres, qu'il ait l'intelligence du cœur.

1

L'intelligence du cœur

L'intelligence du cœur est la capacité à résoudre les problèmes posés par la vie, par les autres, par la survenue des épreuves, par l'émergence de la souffrance, de la maladie, par la présence de la mort. Pour s'exercer pleinement, elle exige une juste maîtrise des peurs, colères et tristesses qui ponctuent le quotidien.

L'intelligence du cœur nous permet de faire face aux questions de l'humain, d'avancer, de donner du sens à notre vie, d'apaiser les relations aux autres, d'affronter les difficultés quotidiennes avec courage et sagesse. Elle nous aide à soutenir nos projets, à trouver notre chemin et à nous accomplir. Elle est importante dans la vie de tous les jours et dans les grands séismes de l'existence.

L'intelligence relationnelle est bien entendu fortement liée à l'intelligence émotionnelle, mais je fais ici le choix de les séparer. Je traiterai de la capacité à établir des liens et à les maintenir, à aimer, à s'unir et à se séparer, à comprendre autrui, et à résoudre les conflits dans un autre ouvrage. Dans le présent, je me concentrerai sur le quotient émotionnel.

Respecter les émotions d'un enfant, c'est lui permettre de sentir qui il est, de prendre conscience de lui-même ici et maintenant. C'est le placer en position de sujet. C'est l'autoriser à se montrer différent de nous. C'est le considérer comme une personne et non comme un objet, lui donner la possibilité de répondre de sa manière très particulière à la question : qui suis-je ? C'est aussi l'aider à se réaliser, lui permettre de percevoir son « aujourd'hui » en relation avec « hier » et « demain », d'être conscient de ses ressources, de ses forces comme de ses manques, de se percevoir avançant sur un chemin, *son* chemin.

L'enfant apprend principalement de ses parents. L'attitude éducative envers l'enfant est déterminante dans le développement de son quotient émotionnel. L'enfant se modélise sur ses parents, et il a tendance à suivre spontanément l'exemple plus que les conseils !

Les messages inconscients sont tout aussi puissants sinon davantage que les actes ou les dires conscients.

Aider nos enfants à développer leur QE nous contraint à développer le nôtre. Aider un enfant à grandir, c'est grandir soi-même. Nos enfants, miroirs de notre réalité intérieure, nous confrontent à nos limites et nous apprennent à aimer, ce sont d'excellents guides spirituels pour peu qu'on les écoute.

Avoir l'intelligence du cœur, c'est savoir aimer et se construire à travers les épreuves de la vie.

2

Faites-vous confiance

Margot avait aux alentours de quatorze mois. Elle se réveillait régulièrement la nuit. Fatiguée, je suis allée consulter une pédiatre revendiquant une spécialisation de pédopsychiatre. En quelques minutes le verdict a surgi, brutal : « C'est pour ça », a-t-elle annoncé. Ma fille s'endormait au sein. Selon elle, c'était la cause de tous nos soucis. Son diagnostic était fait. Je n'avais qu'à me soumettre. Mon histoire, celle de ma fille, celle de mon compagnon, elle n'en avait rien à faire. Ce qui était en cause, c'était l'allaitement ! Son raisonnement était imparable : ma fille s'endormait au sein, puis je la remettais dans son lit. Quand elle se réveillait, le sein n'était plus là, elle ne comprenait pas et pleurait.

Sa solution coulait de source (sans réflexion aucune, le lecteur l'aura compris), il fallait supprimer la tétée du soir. Margot devait s'endormir « toute seule ». Elle allait pleurer, certes, il fallait la laisser. La pédiatre me rassura, en trois, quatre jours maxi, elle ne pleurerait plus...

Pardon Margot, je te demande pardon. Combien je

regrette aujourd'hui d'avoir écouté cette femme. Je t'ai donc laissée pleurer. Tu as pleuré quarante interminables minutes toute seule dans ta chambre, puis tu as fini par t'endormir dans les bras de ton père. Cette nuit-là, tu t'es réveillée toutes les deux heures. Hélas, culpabilisée par cette pédiatre, j'ai récidivé le lendemain, et le surlendemain. Quatre jours plus tard, tu pleurais toujours autant pour réclamer ta tétée du soir et, bien entendu, tu te réveillais bien davantage la nuit. Alors j'ai envoyé paître les avis des experts et je t'ai écoutée. Je t'ai donné ce que tu réclamais et ce dont tu avais besoin, du contact, du lait, de la proximité... une tétée. Nous avons réinstallé ton lit dans le prolongement du nôtre. Tu t'es endormie au sein avec délice. Rassurée, tu as mieux dormi.

En réalité, je l'ai compris plus tard à la lumière de mes nombreuses lectures et grâce à l'aide d'une psychanalyste intelligente, tu n'avais aucun problème de sommeil. Tu bougeais entre deux séquences de sommeil profond, sans te réveiller tout à fait, tu cherchais à retrouver tes limites de sécurité, tes repères, mon odeur, le sein. Ce n'est que si tu ne me sentais pas auprès de toi, que tu te réveillais vraiment et pleurais. Le raisonnement de la pédiatre n'était pas faux, tu cherchais le sein. C'est sa solution qui était erronée. Il me fallait simplement te garder auprès de moi la nuit dans un lit adjacent au mien !

Nombre de parents prennent leur tout-petit avec eux dans le lit. Ils n'osent pas le dire trop fort et s'en culpabilisent souvent. Ils ont intégré la notion que « ce n'est pas bon ». Ils craignent que cela ne perturbe la sexualité ultérieure de leur enfant ou ne l'empêche d'une manière ou d'une autre de se développer norma-lement.

Dans la plupart des pays du monde, l'expression « faire ses nuits » n'existe pas et les bébés dorment avec leurs mamans tant qu'ils sont allaités, jusque deux, voire trois ans. Certains experts revendiquent le lit comme espace d'intimité des parents. Un peu de créati-vité, il n'y a pas que le lit pour faire l'amour !

Il est évidemment très important que l'enfant ne sépare pas ses parents. Mais un bébé dormant dans un lit n'a pas ce pouvoir ! Si les parents profitent de sa pré-sence nocturne pour s'éloigner, l'enfant n'y est pour rien. Si une femme invoque la présence du petit pour refuser de faire l'amour, ce n'est qu'une excuse, elle en trouverait une autre si le nourrisson n'était pas là.

Le désir du parent pour le corps de l'enfant est nocif. L'utilisation perverse de la présence du bébé pour éloigner un conjoint ou pour satisfaire un besoin de réassurance affective est problématique, mais pas le maternage.

Un bébé prend de la place dans un lit. Pour que tout le monde se sente bien, accoler un petit lit en pro-longement de celui des parents résout bien des pro-blèmes.

Imposer à un nourrisson de dormir sans les bruits de respiration de ses parents, sans l'odeur de sa maman, est une violence qui lui est faite au nom de la tranquil-lité de l'adulte. La séparation précoce ne conduit pas vers l'autonomie mais vers la peur de l'abandon et la dépendance relationnelle. L'autonomie s'élabore sur un sentiment de sécurité. Ne devrions-nous pas nous inter-roger sur cette crainte d'être abandonné si répandue dans notre société ?

Heureusement, la littérature enfantine d'aujourd'hui dépasse le tabou et donne de nouvelles permissions aux parents. Dans de nombreux livres, les petits ours ne veulent pas dormir seuls et finissent leurs nuits blottis contre maman ours ou papa ours.

Les pédiatres ne peuvent pas savoir mieux que les mamans. Ils ont appris des théories. Votre bébé n'est pas une abstraction. Il n'est pas théorique. Il est bien réel. Et si les théories peuvent ouvrir des horizons, il est important qu'elles aident à mieux écouter les enfants plutôt qu'à les faire taire et à les soumettre.

Un médecin, un psy, un expert titré ou votre belle-mère cherchent à vous culpabiliser ? Sortez ! N'écoutez que celui qui vous aide à entendre votre enfant.

Si j'insiste, c'est que les mamans sont particulièrement vulnérables, surtout avec leur premier enfant, mais aussi avec les suivants, car aucun enfant n'est la copie conforme d'un autre. La plupart des mamans veulent faire bien, elles se sentent en charge de cette vie qu'elles ont mise au monde. Elles se sentent facilement démunies face à l'intensité des demandes du nourrisson, elles peuvent se sentir intimidées par ce tout-petit entre leurs mains. Elles font face à une nouvelle responsabilité, à un nouveau métier, et n'ont pour formation que l'éducation qu'elles ont elles-mêmes reçue. Elles sont donc des proies faciles pour les donneurs de leçons de tous ordres. L'éducation est un thème sensible, très sensible, qui déclenche volontiers les passions. Les polémiques font rage et divisent les familles.

Il est important de tenir compte à la fois de cette vulnérabilité de la mère et de l'intensité des débats pour l'inviter à s'entourer dès avant la naissance de personnes positives, aidantes et prêtes à écouter sa réalité en face de ce bébé-là, plutôt que leur idéologie.

Quand on fait quelque chose par obéissance aux idées d'un autre, on peut se tromper. Posez-vous la question à la manière canadienne : « **Ça me fait oui ou ça me fait non ?** » Si ça vous fait oui, faites-le. Si ça vous fait non, abstenez-vous !

Faites-vous confiance, écoutez votre cœur, et faites confiance à votre enfant, écoutez ce qu'il vous dit par ses cris, mais aussi par ses comportements, ses attitudes, voire ses troubles. Ce qu'il ne sait pas vous dire par des mots, il l'exprimera par des symptômes. Pas de panique, c'est un langage, il s'adresse à vous, sa mère ou son père, et vous pouvez apprendre à communiquer.

Il est vrai que le langage de l'enfant n'est pas toujours simple à décoder. Si derrière ses pleurs ou ses symptômes il y a toujours une détresse, elle n'est pas évidente à entendre. Elle peut venir de loin, de sa propre histoire ou de celle d'un ancêtre. En effet, les enfants se font volontiers le miroir de l'inconscient de leurs parents (ou grands-parents). Pour mieux comprendre, l'aide d'un psychothérapeute est alors nécessaire. Son rôle est de vous mettre en mouvement à l'intérieur de vous, de vous indiquer les pistes à suivre pour trouver l'origine des difficultés, de vous aider à formuler votre histoire pour y déceler les nœuds affectifs qui peuvent être actifs dans votre inconscient ou dans celui de votre enfant. Il vous écoutera et éclairera votre chemin en vous, mais c'est vous qui trouverez votre réponse.

Requérez l'aide d'un médiateur, pas d'un conseil-

leur. N'acceptez pas les avis péremptoires, les définitions abruptes. Les certitudes d'autrui ne vous aideront
pas. **Vous trouverez vos solutions dans le dialogue
avec votre enfant**, en tâtonnant, en expérimentant.
Chaque relation est une création unique !

II

SEPT QUESTIONS À SE POSER POUR RÉPONDRE À (PRESQUE) TOUTES LES SITUATIONS

Un journaliste interroge Françoise Dolto :
« Avez-vous eu des problèmes d'éducation avec vos enfants ?

— Oui, tout enfant a des difficultés à comprendre ce qui se passe dans le monde puisqu'il l'interprète de façon magique. Avant [que mes enfants n'aient] cinq ans, j'ai eu un travail quotidien pour comprendre ce qui se passait dans la tête d'un enfant[1]. »

Que cette réponse de la grande dame, médecin d'éducation, nous donne quelque humilité ! Françoise Dolto a écouté, guidé et aidé des milliers d'enfants et de parents. Elle avait une fabuleuse intuition, une profonde sagesse et une grande connaissance des méca-

---

1. Françoise Dolto, *Les Chemins de l'éducation*, Gallimard, 1994, p. 62.

nismes psychiques. Et pourtant elle avait davantage de questions que de réponses face à ses enfants. Chaque enfant est un individu unique, et nous interroge avec sa spécificité. Appliquer des réponses systématiques en fonction de règles éducatives prédéterminées nie l'individu comme sujet. Se poser des questions devant un enfant, c'est témoigner du désir de lui répondre individuellement.

Des questions, mais lesquelles ?

1

Quel est son vécu ?

Un enfant est une personne. Il a ses pensées propres, ses émotions, ses fantasmes, ses images mentales.

Les parents peuvent se trouver démunis devant l'intensité des affects d'un tout-petit tant ils sont à fleur de peau. Il suffit d'un rien (à l'œil des adultes) pour que le petit visage se crispe et que des sanglots éclatent. La plus légère frustration peut mener à une immense colère.

Son cerveau en maturation ne fournit pas encore à l'enfant les outils mentaux qui lui permettront plus tard de maîtriser ses émois. Petit, il ne sait pas encore faire des hypothèses, des déductions logiques, se décentrer de son point de vue, prendre des distances ou se projeter dans le futur. Il est dans le présent, ici, et son raisonnement a sa propre logique, égocentrique et magique. Sa pensée est dite prélogique.

Le petit enfant est prisonnier de l'immédiateté de sa réponse émotionnelle, sans médiation de la pensée pour relativiser les choses, ou hiérarchiser

les enjeux. Il est facilement envahi par ses affects et a donc besoin de nous pour l'aider à trouver la sortie.

D'autre part, il cherche bien naturellement à donner sens à ce qu'il vit. Il le fait avec les moyens du bord. **Il organise et interprète ses perceptions à sa manière**, à la lumière des informations, souvent incomplètes, parfois déformées, dont il dispose. Ce qui peut donner lieu à des émotions incompréhensibles pour les parents.

Arnaud est agressif, il fait de grosses colères « pour des riens ». Ses parents se sont séparés. Dans sa tête, il s'est dit : « Papa est parti = il ne m'aime pas parce que je suis un méchant enfant. »

Bénédicte est triste, elle ne participe pas à la classe, elle ne joue pas avec les autres enfants. Elle a du mal à trouver sa place. Elle se sent de trop partout. Ses parents se disputent beaucoup. Elle s'est dit : « Papa et maman se fâchent à cause de moi, si je n'avais pas été là, ils ne se disputeraient pas. C'est ma faute. »

Camille, lui, s'est dit : « Mes parents se sont séparés à cause de moi. Avant ma naissance, ils étaient amoureux, il vaudrait mieux que je sois mort. » Il a contracté une leucémie gravissime et galopante, qui a réuni ses parents autour de son lit d'hôpital !

Denis a peur des autres. Ses parents n'invitent personne, sortent peu, se replient sur la maison et la famille. Voyant cela, il en a conclu : « Le monde est dangereux, les gens sont méchants. »

Ces conclusions forment des croyances sur soi, sur ses parents, sur la vie. Ces croyances vont guider son comportement. Ce que l'enfant voit, ce qu'il entend, ce qu'il ressent, peut faire de sacrés nœuds dans sa tête. Des nœuds qui peuvent le blesser plus ou moins profondément, voire bloquer son évolution dans un domaine précis.

L'enfant voit le monde depuis ses propres yeux. Gardons-nous de juger ses réactions. Écoutons d'abord. Cherchons à identifier ce qu'il vit, comment il associe les choses, ce qu'il ressent et ce qu'il se dit.

Il a peur d'un escargot ? Qu'est-ce que représente l'escargot dans son esprit ?

Après avoir appris cette attitude d'écoute lors d'un stage, une cliente m'a rapporté son aventure avec un petit garçon. Étienne sanglotait, son ballon ayant éclaté entre ses mains. Forte de ce qu'elle avait appris, Sophie s'est retenue de chercher à le consoler trop vite par un « c'est pas grave, je vais t'en acheter un autre ». Elle s'est penchée vers lui et lui a demandé :

« Qu'est-ce que c'est ce ballon, pour toi ? »

À son intense stupéfaction, le petit Étienne a levé les yeux vers elle, et lui a confié dans un sanglot :

« Tout meurt ! Mon papy, il est mort la semaine dernière. »

Et nous, les adultes, considérons que la perte d'un ballon, ce n'est pas si grave ! En minimisant, en banalisant, comme nous faisons si souvent sans y penser davantage, Sophie serait passée à côté d'une grande détresse. Parce qu'elle a simplement choisi d'écouter, Étienne a pu être entendu dans sa tristesse.

Il est évident que tous les enfants qui voient un ballon exploser entre leurs mains ne viennent pas de perdre un grand-père. Mais le questionnement métaphysique reste. Les parents ne voient que le ballon et les quelques centimes qu'il coûte. L'enfant avait entre les mains un ballon et, tout à coup, il n'y a plus rien qu'un morceau de caoutchouc minuscule entre ses doigts ! La transformation est à tout le moins stupéfiante ! Elle pose aussi le problème du pouvoir de l'enfant et d'une éventuelle culpabilité, surtout si les parents en rajoutent : « Tu vois, je t'avais pourtant dit de faire attention ! »

Nous ne mesurons pas ce qui se déroule dans l'esprit d'un enfant. Gardons-nous de minimiser ce qu'il ressent. Un détail qui nous échappe peut revêtir la plus haute importance à ses yeux.

Comment l'écouter et l'aider à dénouer ces nœuds affectifs ?

Toujours le laisser exprimer son émotion, accompagner la décharge de pleurs, de cris, de tremblements, sans tenter de le calmer. **Pleurer, crier, trembler, sont ses façons de dire sa souffrance, de libérer ses tensions, de se récupérer.** Faites confiance à ses compétences. Il sait ce qui est bon pour lui. Si vous savez rester présent, écouter, accompagner les larmes, après l'explosion viendra la détente, la confiance, le bien-être corporel.

Un tout petit bébé pleure parce qu'il a un besoin ou parce qu'il cherche à dire quelque chose. Assurez-vous tout d'abord que ses besoins sont satisfaits. S'il continue de pleurer, écoutez-le simplement. Il vous confie ses tensions. Peut-être vous exprime-t-il combien il a eu peur pendant l'accouchement, combien il est fâché que vous n'ayez pas été là à l'heure de sa tétée... Peut-être dit-il sa détresse de ne pas se sentir accepté par papa... Peut-être dit-il qu'il souffre de la tension familiale due au décès du grand-père... Il sent des multitudes de choses. Pour ne pas les garder dans son corps, il a besoin de les pleurer.

Quand il est un peu plus grand et capable de parler, écoutez toujours ses émotions en priorité et **prenez-le au sérieux**. Ne lui demandez pas « pourquoi » il pleure. Il chercherait à vous fournir une explication rationnelle, parfois éloignée de sa difficulté. Accompagnez-le plutôt dans son ressenti en lui demandant : « Qu'est-ce qui se passe ? » ou « Qu'est-ce qui te rend triste ? » voire « De quoi tu as peur ? »

Son raisonnement peut sembler illogique à un adulte, en fait il est prélogique, mais il y croit dur comme fer. C'est en l'accompagnant dans les méandres de ses pensées que nous pourrons l'aider, lui fournir l'information manquante, éclairer la situation d'un autre point de vue.

Juliette est en maternelle. Elle est le mouton noir de la classe. Que s'est-il passé pour que les autres se montrent aussi agressifs et méprisants envers elle ? Rien ne sert de leur demander d'être plus gentils avec elle. Un comportement est un symptôme. Il a des causes. Cherchons-les.

La maîtresse se met à l'écoute, et entend que Juliette se fait souvent insulter par un méprisant :

« Tu n'as même pas de papa ! »

Ces mots sont particulièrement violents pour Juliette qui a perdu son père il y a six mois à peine. La maîtresse se remémore alors les présentations du premier jour. La petite fille avait annoncé tout de go aux autres :

« Je m'appelle Juliette et mon papa est mort.

— C'est pas vrai ! » avait instantanément rétorqué Matthieu.

Pour lui, pour les autres enfants, il était impossible

qu'un papa meure. Imaginez, cela voulait dire que leur papa pouvait lui aussi mourir, impensable ! Et d'où venait donc cette fille qui clamait cette horreur ? Qui était cette méchante qui leur suggérait une telle aberration ? Il fallait la punir, lui faire mal, la détruire.

La maîtresse a fait parler les enfants, elle a exploré les méandres de leur pensée et a clarifié avec eux quelques points : la véritable raison de la mort de cet homme, sa maladie, la contagion... Les petits élèves avaient besoin de savoir avec certitude que côtoyer Juliette n'allait pas tuer leur propre père. Avoir un papa mort n'est pas contagieux ! C'était là l'idée qui les paniquait et contre laquelle ils luttaient en cherchant à exclure Juliette.

Vous êtes surpris et démuni devant l'intensité d'une émotion de votre enfant ? Vous ne voyez pas ce qui peut déclencher une telle réaction ? Vous ne savez pas comment l'aider à traverser une épreuve ? Écoutez-le, mettez-vous à sa hauteur, regardez avec ses yeux, entendez avec ses oreilles, et posez-vous cette question :

Quel est son vécu ?

2

Que dit-il ?

Le maître de Frédéric vient d'être incarcéré pour abus sexuels sur enfant mineur. Le petit garçon a subi ses assauts durant quatre longs mois. La mère s'étonne que son fils ne lui ait rien dit. Cependant, sur l'invitation du psychologue, elle se souvient :

« Oui, c'est vrai, il disait : "J'ai mal au ventre, je veux pas aller à l'école." J'ai pris ça pour un caprice. Il jouait la comédie pour ne pas aller à l'école. Et puis son maître, M. Machin, était si gentil. »

Eh oui, les pédophiles sont fréquemment gentils ! Frédéric ne pouvait parler à sa mère, elle ne l'écoutait pas. Elle banalisait son refus, le rabaissait en le traitant de comédien, le culpabilisait même en disant que son maître était si gentil ! En s'opposant à donner du sens à son refus d'aller à l'école, elle niait les besoins de son enfant.

Derrière ce que les parents nomment « caprice », derrière un comportement bizarre, déplacé, excessif, ou simplement non ordinaire, cherchons l'émotion, cherchons le besoin. L'enfant dit quelque chose.

S'il ne veut pas aller à l'école, c'est qu'il a une bonne raison. Son maître n'est pas forcément pédophile, certes, mais peut-être sa copine Suzon ne lui parle plus, peut-être a-t-il peur du garçon de cinquième qui vient le voir à la récréation, peut-être a-t-il peur de la maîtresse, de rendre un devoir ou de se montrer ridicule en short de sport face aux copains. Peut-être ne comprend-il pas ce que raconte le professeur, à moins, tout simplement, qu'il ne s'ennuie... Il a besoin de vous, de votre écoute, de votre attention à ses sentiments, peut-être de votre protection ou de votre aide pour résoudre un problème.

Tout comportement exagéré et surtout systématique, qu'il soit d'agressivité ou de passivité extrême, de dépendance excessive à la mère ou de jalousie abusive, d'incapacité de se concentrer ou d'opposition systématique, tout cela a une motivation. Une émotion est bloquée, un besoin est caché.

Encore une fois, ne demandez pas à un enfant *pourquoi* il a commis telle ou telle chose, il n'en a le plus souvent aucune idée. Il est vraisemblable que ses motivations profondes sont inconscientes. Si vous lui demandez pourquoi, il risque de se sentir en devoir de répondre, il va alors construire une raison plausible. Il en trouvera probablement une, ce ne sera que rarement la bonne.

Le bébé n'a pas les mots pour dire les choses. Son premier langage est le cri. Peu à peu il va apprendre à parler, mais **ce qu'il ne saura pas dire par des mots, il continuera à le dire par des cris, de la rage, des pleurs, et par toutes sortes de « comportements criants » et autres refus de coopérer.** Il n'est pas si simple de formuler ce qui se passe en soi. L'enfant ne comprend pas forcément ce qui lui arrive. Il a l'impression qu'il est interdit d'en parler. Il a peur des réactions de ses parents, de leur colère, il craint de leur faire de la peine.

Les parents nomment facilement « caprices » ou « comédies » ces cris qu'ils ne savent interpréter. C'est terrible pour un enfant quand il n'est pas entendu, quand ses suppliques sont réduites à ces mots dévalorisants. Il n'existe pas de caprice. Il s'agit d'un langage, il y a un message à décoder.

Il est vrai qu'il n'est pas toujours facile de saisir la communication d'un enfant qui n'organise pas sa pensée comme nous. Mais il me semble que nous avons tous été enfants. Avec un petit effort nous devrions réussir à nous souvenir de ce que nous ressentions et comment nous le communiquions.

Ne pas écouter les cris ou les comportements de refus, ne pas les respecter comme un langage, ne pas chercher à en comprendre le sens, refuser d'entendre ou banaliser : « Il pleure toujours à cette heure-là », « Il est comme ça, il est maladroit »... enferme l'enfant à l'intérieur de lui. Il faisait une demande, cherchait de l'aide, manifestait un besoin... il n'a pas été entendu, il en est réduit à choisir la voie de symptômes pour se faire entendre.

Otites à répétition, eczéma, allergies, refus de s'alimenter, énurésie, plus tard difficultés scolaires, agressivité... sont autant de messages d'appel. L'enfant est prêt à sacrifier sa croissance, sa santé physique et psychique pour être enfin entendu.

Cela dit, tous les comportements de l'enfant ne sont

pas forcément des messages. Ne soyez pas tendu à tenter de décoder tout et rien, et à systématiquement chercher un sens caché derrière chacun de ses gestes. En tout l'excès nuit.

Comment savoir s'il dit quelque chose à travers une attitude, une maladie, un accident, une panne scolaire ? Écoutez-le.

Vous pouvez être sûr qu'il y a message quand le comportement se réitère, quand des symptômes perdurent malgré les traitements, ou réapparaissent.

Et ne soyez pas traumatisé à l'idée de laisser passer un message de votre enfant. Tant que son problème ne sera pas résolu, il va répéter, sur tous les tons, en variant les symptômes... jusqu'à provoquer une réponse.

Lorsqu'un comportement vous surprend, vous énerve, vous interpelle, lorsque votre fils ou votre fille manifeste une émotion qui vous semble disproportionnée, une opposition systématique, ou des symptômes variés. Avant que ces derniers ne deviennent alarmants, posez-vous cette question :

| Que dit-il ? |

3

Quel message ai-je envie
de lui transmettre ?

Attention donc à ne pas tout prendre pour un message subliminal ! Écrire sur les murs, colorier votre agenda, découper un rideau pour faire une robe de mariée ou dessiner un terrain de foot sur la moquette neuve de sa chambre ne sont pas forcément des comportements messages. Ce sont des explorations bien naturelles. Si elles abîment le territoire, les possessions des parents, ce n'est pas forcément leur intention première. Tout est question de nuances et d'âge.

Votre fille de trois ans donne un coup de ciseaux dans un de vos colliers ? Votre enfant de huit ans fait la même chose ? Cela n'a clairement pas la même signification. La première explore ce qu'elle peut découper avec ses nouveaux ciseaux. Elle n'a pas encore véritablement intégré qu'une action puisse être irréversible et croit que de toute façon ce n'est pas grave puisque « papa va réparer ». Pour la seconde, c'est différent. Il s'agit là plus probablement d'un comportement punitif. Elle exprime vraisemblablement une colère, contre vous, votre conjoint, son frère, un professeur... Cependant, si elle en tire une robe, ne cassez pas son génie montant ! Il se peut que ce soit une future grande couturière ! La multimilliardaire japonaise qui se fait faire des balles de golf spéciales de sa couleur préférée, le rose, tout comme ses voitures et tout ce qui l'entoure... a commencé comme cela. Elle a taillé ses premières robes, petite fille, dans les rideaux de la maison familiale !

Avec beaucoup de soin, Ulysse a tracé un superbe terrain de foot sur la belle moquette verte toute neuve. C'était très beau ! Il ne savait pas qu'il ne pouvait pas le faire, c'était sa chambre ! Sa mère a su reconnaître son génie et l'a félicité de sa créativité, mais son père a hurlé et l'a obligé à tout effacer dans l'instant. À vrai dire, ce papa aurait volontiers payé à grand prix un tapis avec un terrain de foot imprimé, mais il lui était insupportable que son fils le dessine de lui-même. Dans son esprit, « ça abîmait » la moquette, il n'a même pas considéré un instant le résultat objectif.

Nos réactions face aux créations de nos enfants vont conditionner ses croyances sur lui-même. Quel message désirez-vous lui transmettre ?

« Tu es créatif, tu as des idées originales, il serait intéressant pour toi de trouver un matériau adéquat pour leur donner libre cours. »

Ou bien :

« Tu es fou ! Tu n'as aucune conscience ! Ce que tu fais est sale ! »

L'enfant qui recevra le premier message, confiant en ses capacités, va chercher des supports pour manifester sa créativité. Celui qui entendra le second message, défini comme fou et inconscient... continuera de l'être et aura envie de se venger, peut-être pas sur la moquette, mais gare aux vases précieux et bibelots souvenirs fragiles dans la vitrine de papa ! À moins qu'il ne se détruise lui-même en se dévalorisant.

Vous désirez lui inculquer le respect des objets ? Respectez aussi son besoin d'expression.

Lorsque j'ai vu apparaître quelques coups de feutre sur les murs de ma salle de travail, j'ai tout d'abord été fâchée et ai de nouveau notifié l'interdit : « On dessine sur des feuilles de papier, pas sur les murs ! » Les graffitis continuant à apparaître, j'ai confié à chaque enfant la réalisation d'un dessin pour décorer. Ils se sont appliqués sur la trentaine de centimètres alloués, ce coin est devenu très joli, et les agressions anarchiques au feutre ont cessé.

Il m'était difficile de maintenir un interdit sur le crayonnage des murs. Ma sœur, peintre, a réalisé de splendides fresques sur les murs de l'escalier. Pourquoi aurait-elle eu le droit de dessiner et pas eux ? C'était trop injuste à leurs yeux. Avoir un espace à eux les a valorisés, et, satisfaits, ils n'ont plus eu besoin de marquer les murs.

À chacune de nos réactions nous avons le choix entre les messages d'amour : « Je t'aime, tu es capable » et les messages destructeurs : « Tu es nul, tu ne vaux rien. »

Un front commun ?

L'enfant a deux parents. Il a donc en théorie deux fois plus de chances de recevoir des messages positifs. Hélas, parfois les parents décident de « se mettre d'accord » et en général s'alignent sur le plus répressif. De nombreux parents croient devoir présenter un front commun aux enfants. « Front » ? Nous sommes déjà dans une dynamique d'affrontement, de jeu de pouvoir. Non, les enfants ne cherchent pas la faille dans le couple parental. Ils cherchent la vérité. Ils cherchent à être heureux, à s'épanouir. Ils ne vont pas forcément « profiter » d'un différend entre leurs parents. Et, quand un parent assène un message nocif, l'autre peut fournir l'antidote. Les enfants savent ce qui est juste et ce qui ne l'est pas. Il y a bien davantage d'incohérence pour l'enfant lorsque l'un des deux parents se range à l'attitude de l'autre et se comporte donc en opposition avec ses valeurs.

Votre conjoint humilie ou blesse votre enfant ? Osez dire ce que vous pensez, ce que vous ressentez. **Osez vous mettre du côté de l'enfant, être un témoin de sa douleur, le défendre.** Il saura qu'il peut vous faire confiance. Au contraire, si vous ne dites rien ou si vous soutenez votre conjoint... vous le trahissez, il perdra confiance en vous.

De même, acceptez que votre conjoint prenne sa défense lorsque c'est vous qui exagérez. Personne n'est parfait, il nous arrive à tous de nous tromper, de prononcer des mots sans y avoir réfléchi, ou encore de « disjoncter » par fatigue, exaspération, ou résurgence de notre propre enfance. Votre image n'en sera pas ternie aux yeux de l'enfant, parce qu'il ne cherche pas une image mais une vraie personne en face de lui. En acceptant de reconnaître vos erreurs, vous lui apprenez à faire de même.

Les parents sont des personnes, ils ne sont pas forcément d'accord, et c'est important pour l'enfant de le vivre. Pourquoi imposer une vision unique du monde et de la vie ? Il est bien plus enrichissant de constater la coexistence de plusieurs points de vue ! On peut alors discuter, échanger et résoudre les conflits.

Pas de front commun donc, mais pas non plus d'escalade ou de compétition à qui est le meilleur parent, ou de déplacement d'autres conflits sur le terrain de l'éducation des enfants !

C'est avec beaucoup de respect mutuel que les conjoints exposeront leurs différends, montrant ainsi à l'enfant qu'il est possible de vivre ensemble et de s'aimer tout en ne pensant pas toujours la même chose.

Nos enfants nous écoutent et nous observent

Chacun de nos actes, non seulement envers lui, mais envers toute personne et toute situation, lui adresse un message.

Regardez votre vie, et votre façon de la vivre. De quelle manière vivez-vous ce que vous aimeriez lui enseigner ? Vous arrive-t-il de mentir, de dissimuler, de travestir la réalité pour vous arranger ? Respectez-vous les règles, les lois ? Traversez-vous au feu rouge et dans les passages piétons ?

Et plus globalement quelle quantité de joie,

d'amour, de bonheur de vivre manifestez-vous ? Vous restez dans une entreprise, un métier ou un mariage qui ne vous convient pas ? Quel message lui transmettez-vous sur le travail, la liberté, la façon de conduire sa vie, la réalisation personnelle et l'amour ?

Pour vous guider dans vos choix de vie comme dans vos attitudes vis-à-vis de lui, posez-vous cette question :

> Quel message ai-je envie de lui transmettre ?

4

Pourquoi je dis cela ?

« Margot, Adrien, allez on y va. » ... Je suis à côté de la voiture et les enfants ramassent des marrons sur le trottoir. Ils font semblant de ne pas m'entendre et continuent leur quête :

« Là regarde, celui-là, c'est pour moi !

— Tiens, je t'en donne un dans ta poche. »

Je commence à sentir l'énervement monter... quand je me pose la question : « Pourquoi diable est-ce que je désire tant qu'ils montent en voiture tout de suite ? » Parce que je l'ai décidé ainsi ? Quelles sont mes raisons ? Nous sommes dimanche, je suis seule avec eux, j'ai décidé de leur consacrer toute cette belle journée. Il est midi, c'est vrai, mais la faim ne semble pas les tenailler... Pourquoi donc courir ? Quelle différence y a-t-il entre ramasser des marrons sur le trottoir, jouer au square ou faire un tour de manège ? Pourquoi ne pas les laisser à leur plaisir sur ce trottoir ? En plus, ça ne coûte rien ! Nous sommes finalement restés une bonne vingtaine de minutes à ramasser de très beaux marrons tout lisses et brillants.

Vous avez, j'en suis sûre, déjà rencontré ce type de situation. Nous réagissons souvent de manière automatique, nous ferions bien de nous poser plus souvent la question :

« Pourquoi ? Qu'est-ce qui me pousse à dire oui ou non aux demandes de mes enfants ? Qu'est-ce qui me dicte mon attitude ? »

La première fois que Margot a désiré manger sa glace en entrée, je me suis entendue dire : « Non, la glace est un dessert, on la mange en dernier. » Alertée par le caractère automatique de ma réponse, je me suis posé la question : « Pourquoi je dis cela ? » Réfléchissant réellement et scientifiquement au problème, je me suis rappelé la diététique et le fonctionnement de l'estomac... le sucré incite à la sécrétion d'insuline, il prépare à la digestion... Si nous mangeons du sucré en fin de repas, c'est parce que nous voulons encore manger, alors que nous n'avons plus faim. Pour pouvoir encore avaler quelque chose, il nous faut tromper notre organisme... C'est un usage culturel, une habitude agréable pour la plupart d'entre nous mais, réflexion faite, ce n'est pas très sain. J'ai donc donné sa glace à ma fille. Elle a ensuite très bien mangé tout son repas. Depuis, elle mange de temps en temps un fruit, une glace ou du gâteau avant les pâtes ou les haricots verts, mais c'est de plus en plus rare au fur et à mesure qu'elle grandit et respecte naturellement les usages qu'elle voit autour d'elle. Il lui est arrivé de préférer son dessert au milieu du repas, ou même de ponctuer chaque plat d'une bouchée de gâteau ou d'une clémentine... Pourquoi donc le lui interdire du moment qu'elle mange de tout et, globalement sur la semaine, d'une manière équilibrée, d'autant que la science lui donne raison (sauf pour les clémentines qui sont acides et ne se mêlent pas forcément harmonieusement aux autres plats).

Est-ce la santé ou les convenances sociales qui dictent mon attitude ? En tant que parent, je suis responsable de la santé de mon enfant, mais aussi de sa socialisation. On peut expliquer à un enfant que c'est une convenance sociale, une habitude culturelle, mais il est important de ne pas mélanger les deux enjeux, en assenant par exemple à l'enfant qu'il est nocif pour sa santé de manger le dessert au début du repas.

Il est évident qu'il ne serait pas sain pour un enfant de ne manger que des glaces. Si la glace est trop copieuse, l'enfant peut ne plus avoir envie de légumes... N'allez pas vous imaginer que je suis en train de vous conseiller de donner leur dessert à vos enfants en début de repas !

La crainte fréquente des parents lorsqu'ils accèdent à une demande originale de leur enfant est que cela ne devienne ce qu'ils nomment « un caprice ». **Les caprices sont des inventions des parents. Ils surgissent lorsque les parents se prennent les pieds dans les jeux de pouvoir.** Quand Margot a demandé une glace en début de repas, ce n'était pas un caprice mais une exploration. Je me serais braquée contre cette idée, entrant ainsi dans le jeu de pouvoir, elle aurait probablement répondu dans le jeu de pouvoir en se bloquant elle aussi sur sa position. Je pense que les jeux de pouvoir sont initiés par les parents et non par les enfants. Preuve s'il en est, on dit qu'un nourrisson risque de vous dominer si vous vous laissez faire par lui ! Alors qu'il est totalement dépendant de vous et n'en a clairement pas les possibilités mentales.

Vos comportements sont-ils dictés par votre éducation, par des automatismes dont vous ne savez plus l'origine, par l'évidence ? ou par la raison ? J'entends ici par raison non pas le préjugé de vos parents ou de votre médecin de famille, mais votre raisonnement sur la base d'informations fiables.

Il est vrai qu'il faut faire son chemin parmi les informations déformées que nous présente la publicité.

Une mère me confiait combien elle devait se battre avec son fils pour qu'il accepte de manger son yaourt quotidien. Victime de la publicité, elle croyait avec sincérité qu'il était bon, voire nécessaire pour la croissance de son enfant, qu'il mange des laitages ! La voix des lobbies agro-alimentaires était si forte qu'elle ne pouvait entendre son fils. Quand elle a découvert une information plus neutre et donc plus objective, elle a mesuré son erreur. Elle imposait tous les jours à son fils un yaourt acidifiant son estomac, apportant nettement moins de calcium que les amandes et noisettes dont il raffolait. Bref, ce qu'elle croyait être sain ne l'était pas tant que ça !

Lors de nos dernières vacances, dans un hôtel, je suis restée stupéfaite par une courte scène. Nous étions autour d'un buffet et chacun pouvait choisir son plat. Ce jour-là, il y avait : saucisses de Francfort ou escalope cordon-bleu. Une petite fille accompagnée de son père a insisté pour avoir des saucisses. Le père a refusé en avançant : « Maman a dit cordon-bleu, ce sera cordon-bleu. » Il est vrai que les saucisses ne sont pas un aliment particulièrement diététique. Mais l'escalope cordon-bleu, c'est une escalope de poulet (de batterie en l'occurrence) avec une tranche de jambon et du fro-

mage, le tout pané. On peut aimer, soit. Mais trois pro-
téines ainsi associées ne sont guère défendables sur le
plan diététique. Ce que désirait la petite fille, une sau-
cisse, n'était pas pire, pourquoi ne pas le lui permettre ?
On reste coi devant tant d'absurdité, tant d'incons-
cience. L'enfant a vite accepté son sort, elle avait pourtant une dizaine d'années. Sa mère régentait sa vie,
manifestement sans se poser trop de questions sur le
sens de ce qu'elle imposait.

On ne peut tout savoir. Mais quand nos enfants
nous font des demandes, pourquoi ne pas les écouter et
nous poser cette question :

> Pourquoi je dis cela ?

5

Mes besoins sont-ils en compétition avec ceux de mes enfants ?

Nous aimerions que nos enfants ne pleurent pas « pour un rien », qu'ils ne se mettent pas en colère parce qu'on leur refuse quelque chose ou parce que l'on a l'outrecuidance de leur proposer de changer leur couche pleine.

Nous aimerions que nos enfants soient plus coopérants, qu'ils s'habillent quand on le leur demande, qu'ils viennent à table en même temps que tout le monde, qu'ils aillent se coucher volontiers, qu'ils rangent leur chambre, qu'ils mettent leur manteau au crochet prévu à cet effet et leurs chaussures l'une à côté de l'autre dans le placard.

Nous aimerions qu'ils soient calmes et sages, qu'ils ne courent pas partout en hurlant, qu'ils s'asseyent tranquillement sur leur chaise pour prendre leur repas, mangent rapidement, proprement et avec leur fourchette tout ce qu'il y a dans leur assiette, boivent sans renverser leur verre ni faire à table des expériences de physique sur la conservation des volumes...

Nous aimerions que nos enfants ne soient pas des enfants !

Seulement voilà, **ce sont des enfants ! Ils sont dans leur rôle d'enfant quand ils sortent tous les jouets, marchent pieds nus sur le carrelage, se réveillent à l'aube pour jouer, crient leur excitation à perdre haleine, se cachent dans les placards et se coursent à travers le salon ou même salissent la cuisine avec leurs bottes pleines de boue.**

Honnêtement, ne serions-nous pas un peu mal à l'aise devant eux s'ils se comportaient tout le temps comme des adultes en miniature, bien rangés, bien policés ? Après quelques minutes d'admiration empreinte d'envie, nous serions vite effarés par leur manque de naturel.

Mais il faut le dire clairement, les besoins des parents et des enfants sont carrément opposés. La plupart des parents aiment les espaces ordonnés, apprécient le silence et les paroles mesurées, rêvent de calme et de grasses matinées. La grande majorité des enfants est à l'aise dans le plus grand désordre, adore le bruit et se lève à l'aube, particulièrement le dimanche et les jours fériés. Les autres jours, c'est plus difficile !

Reconnaissons-le, la situation est forcément conflictuelle et complique la relation. Dès lors que nous ne prenons pas la mesure de ce décalage, la compétition de besoins risque de faire rage. **Dans ces jeux de pouvoir,** il y a un gagnant, mais aussi un perdant. Et à dire vrai, sur le plan de la relation, **il y a forcément deux perdants.** Comment se sentir sincèrement apprécié par quelqu'un qui nie vos besoins ?

Être parent, c'est certes accepter de mettre de côté

pour un temps ses besoins propres pour satisfaire ceux de ces êtres vulnérables. Mais ce n'est ni simple, ni facile. Une jeune mère me confiait, désespérée, se sentir parfois à bout, au point d'être tentée de frapper. Elle en était proprement stupéfaite, elle ne s'y était absolument pas attendue. Avant sa maternité, elle considérait les enfants comme des êtres merveilleux et parfaits qu'elle ne cesserait d'admirer... Après, elle se surprenait à être exaspérée par leurs comportements, à les détester.

Oui, ils nous font enrager, sortir de nos gonds. Tous les parents en bavent... à moins qu'ils n'en fassent baver à leurs enfants.

Selon les âges, les nuits sont entrecoupées de tétées, pipis au lit ou cauchemars. Le jour, les petits demandent une attention constante, les plus grands se chamaillent... Impossible de s'absorber dans un roman, de téléphoner au calme à une copine, de se prélasser au lit le matin, ni même de faire pipi tranquille. Vivre avec un enfant est réellement éprouvant. Si nous ne le reconnaissons pas, nous accumulerons infailliblement de la rancune que nous projetterons sur lui à la moindre incartade : « Tristan, tu es insupportable ! » Voire : « Qu'est-ce que j'ai fait pour avoir un enfant pareil ! »

Être parent est une occupation à plein temps, vingt-quatre heures sur vingt-quatre. Si certains ont une coupure de huit, dix heures en allant travailler, ils retrouvent leur tâche en rentrant. C'est reposant d'aller au bureau, on y est reconnu, considéré, on est entre adultes, pas de cris, de pleurs ou de bagarres... On peut souffler un peu. Les mères au foyer n'ont pas cet espace pour s'évader et se ressourcer. Oui, le travail est souvent ressourçant, sauf s'il n'est pas choisi. Dans l'exercice de son métier on se sent compétent, valorisé, ne serait-ce que par les discussions avec les collègues... on se recharge de confiance en soi. Même quand le travail lui-même n'est pas passionnant, il fournit des occasions d'échanges et de contacts avec autrui.

Si nous ne reconnaissons pas nos besoins, frustrés d'éléments essentiels à notre propre développement, il est probable que nous aurons du mal à donner à nos enfants ce dont ils ont besoin. **C'est donc un devoir parental que d'écouter et reconnaître ses propres besoins**, de prendre les moyens de les satisfaire autant que faire se peut.

S'il y a conflit de besoins, la compétition n'est pas notre seule option. **La coopération est toujours plus efficace à long terme.** Cette dernière exige l'expression authentique des besoins de chacun et le respect mutuel. Reconnaissez leurs besoins *et* affirmez les vôtres.

Après la toute petite enfance, où leurs besoins passent forcément en priorité, négociez ! **Les fameuses limites qu'il faut mettre aux enfants sont celles imposées par vos besoins**.

« JE désire manger en paix, comment peux-tu faire pour protéger mon temps de dîner ? »

sera plus efficace que

« Tais-toi, tu es vraiment insupportable. »

Ils ne veulent pas se coucher ? Signifiez-leur que de toute façon c'est maintenant l'heure des parents et que vous ne vous occupez plus d'eux. Inutile de menacer, gronder ou punir, protégez simplement *vos* besoins.

Il est important de **se reposer** pour ne pas courir à l'épuisement, de se ressourcer pour être disponible, de **partager les tâches** à égalité avec son conjoint pour ne pas accumuler de rancœur inconsciente, de **reconnaître frustration et colère en soi** quand l'autre n'est pas là pour assumer sa part, que ce soit empêché par obligation extérieure, par refus pur et simple ou pour motif de divorce.

Quand le parent ne reconnaît pas ses émotions, la tentation est forte de les projeter sur les enfants. C'est leur faire porter ce qui ne les concerne pas.

Patricia a élevé seule ses deux enfants. Préoccupée par le manque de père, elle a voulu « compenser » auprès d'eux et a redoublé d'attentions. Une autre réalité lui a sauté aux yeux dès qu'elle a un peu réfléchi à la question : un homme lui manquait à elle. Elle en avait longtemps refusé la conscience, projetant ce manque sur ses fils, et redoublant d'attentions compensatrices à leur égard. Aujourd'hui, elle a bien du mal à les rendre autonomes. Ils manquent de confiance en eux et restent très dépendants d'elle.

Une mère, aussi attentive soit-elle, ne remplacera jamais un père. Ce n'est pas son rôle. Les enfants n'attendent pas d'elle qu'elle efface le manque, mais qu'elle les écoute dans leurs émotions, et qu'elle ne cherche pas à évacuer les siennes ! Attentive à ses propres besoins, Patricia aurait laissé ses enfants grandir plus librement. Elle aurait peut-être même rencontré un homme avec lequel reconstruire un couple, une famille. Ce dernier aurait pu faire fonction de papa, être l'élément masculin équilibrant dont avaient tant besoin ses fils...

Écouter ses propres besoins n'est pas se comporter en égoïste. C'est prendre la mesure de la situation et tenter d'y répondre de manière appropriée. En général, tout le monde y trouve son compte.

Quand nos parents font obstacle à nos enfants

Si notre quotidien nous apporte son lot de soucis, nos besoins les plus exigeants et les plus pressants ne datent pas pour la plupart d'aujourd'hui. **Les besoins les plus difficiles à contrôler sont ceux issus de notre propre enfance.** Restés non seulement insatisfaits dans le passé, mais le plus souvent non identifiés comme tels, ils entretiennent le manque et il suffit de peu pour qu'ils entrent en compétition avec ceux de nos enfants, nous empêchant de les entendre, de les comprendre et souvent d'agir envers eux de manière appropriée.

« Elle m'énerve avec ses jérémiades ! » Maryse est incapable de donner de la tendresse à sa fille, ses propres parents ne l'ont jamais prise dans les bras. Malgré son désir conscient, le blocage est trop puissant, elle n'y arrive pas. Quand Ève s'approche d'elle et lui demande un câlin, elle la repousse. Le donner, ce serait voir Ève le recevoir, et concevoir l'image d'elle-même petite fille le recevant... impossible. Elle a eu tellement mal de ne jamais recevoir de câlins qu'elle ne veut pas réveiller la douleur du manque. Elle préfère nier son propre besoin : « Je n'en ai pas eu, je n'en suis pas morte », et nier ceux de sa fille pour mieux enterrer le tout. Car si elle reconnaissait qu'Ève en a besoin, elle devrait logiquement penser que toute petite fille en a besoin, donc elle-même enfant...

Là où mes émotions d'enfance restent refoulées, je ne peux percevoir la réalité des besoins de mon enfant. Je vais soit projeter mes propres besoins, forcément démesurés puisque frustrés depuis long-

temps, soit nier tout besoin pour ne pas sentir ma souffrance.

Quand je constate cela, je peux me poser la question : « Est-ce que je veux vraiment entrer en compétition avec mon enfant ? »

Quinze jours après son accouchement, Nathalie est partie aux sports d'hiver en confiant le bébé à sa grand-mère ! Elle se justifie en clamant qu'elle a besoin de repos et de se retrouver après une telle épreuve. Elle n'a aucune idée de ce que peut ressentir sa fille. Après enquête, elle-même a été séparée de sa mère très précocement. Elle a enterré en elle la douleur, la colère et la terreur, et inflige à sa toute petite fille la même épreuve, comme pour dire à sa mère : « Tu as eu raison, tu vois, je n'en ai pas souffert, je fais la même chose à mon enfant. »

Irène est partie deux mois aux États-Unis pour son travail, en laissant son fils de trois mois en France dans les bras d'une nounou, certes agréée, mais qu'il n'avait jamais rencontrée auparavant. Irène n'a pas compris pourquoi son petit Tom était dans un tel état de dépérissement quand elle l'a retrouvé. Il refusait de s'alimenter, dormait mal. Il avait inhibé son développement. Malgré les apparences, Irène n'a pas été attentive à ses propres besoins en partant aux États-Unis. Elle a répondu aux sirènes de son enfance. Elle-même avait été « abandonnée » par sa mère au même âge.

Claire est mère de trois enfants. Yves, lui, n'en a que deux, mais tous deux ont tendance à rentrer tard du travail. Ils reconnaissent volontiers que derrière l'excuse du travail à terminer, il y a leur désir de ne pas affronter les enfants, leurs demandes, leurs émotions...

Le travail c'est décidément plus facile. Les jeunes se débrouillent comme ils peuvent entre consoles de jeux et télévision. Leurs parents les fuient parce qu'ils redoutent le contact avec leurs émotions d'enfance.

Le nourrisson ne peut satisfaire seul ses besoins. Quand les adultes dont il dépend ne sont pas disponibles pour lui, parce que prisonniers de leur enfance, il est en grand désarroi. Pour survivre, se faire accepter, se faire aimer, les tout-petits acceptent très vite de se plier aux bonnes grâces de ceux qui s'occupent d'eux. Ils apprennent à ne plus pleurer si on ne vient pas les chercher. Ils apprennent même à téter moins vite s'ils perçoivent que la force de leur succion inquiète leur mère. Ils répriment leurs besoins, leurs affects, deviennent très « sages » et font la fierté de leurs parents. Mais, ce faisant, ils effacent leurs émotions, et apprennent qu'ils ne peuvent pas faire confiance et que le monde extérieur est a priori hostile.

En revanche, si le parent est attentif à ses véritables besoins, à sa relation de couple, à lui ou elle en tant qu'homme ou femme, si ses blessures anciennes sont guéries, il va pouvoir reconnaître les besoins de son enfant et les satisfaire.

Aucun livre, aucun expert ne pourra jamais donner des réponses universelles. Chaque enfant est une personne, différente de toutes les autres personnes sur terre. En outre, un enfant change. Il évolue. Il n'a pas la même taille de chaussures toute sa vie, il n'a pas les mêmes besoins. Il va adorer les poireaux à deux ans et les détester à trois... Rien de solide sur quoi s'appuyer, aucune stratégie systématique à appliquer, il faut s'adapter en permanence. Ce n'est pas facile quand on a oublié sa propre enfance.

Pour vivre heureux ensemble, contenons les débordements de nos enfants dans des limites que nous pouvons tolérer et apprenons à supporter davantage. Rappelons-nous qu'ils sont dépendants de nous et que nous sommes les pourvoyeurs. Guérissons nos blessures anciennes pour pouvoir laisser vivre nos enfants à leur rythme. Nous y gagnerons en détente et en plaisir.

Quand nous sommes exaspérés par nos enfants, incapables de leur répondre ou tentés de les surprotéger, s'ils se montrent « trop sages » ou au contraire excessifs, posons-nous cette question :

> Mes besoins sont-ils en compétition avec ceux de mes enfants ?

6

Qu'est-ce qui est le plus précieux pour moi ?

Béa (deux ans) sanglote, désespérée. Son verre lui a échappé des mains et sa mère vient de crier très fort. Elle ne l'a pourtant pas fait exprès !

Hubert (sept ans) se terre dans sa chambre. Il se fait le plus silencieux possible. Il est terrorisé à l'idée que son père ne découvre tous ses papiers collés les uns aux autres sur son bureau. Ce n'est pas sa faute, il voulait juste recoller un jouet qu'il avait cassé en marchant dessus. Sachant que, s'il l'avait dit à son père, il allait encore recevoir un sermon du style : « Si tu rangeais tes affaires, ça n'arriverait pas », il a préféré tenter de réparer seul... et voilà que le drame est arrivé. Il était occupé à tenir ensemble les morceaux de son camion, le chat a sauté sur le bureau et a renversé le pot de colle liquide sur les papiers !

Trop souvent les parents tombent à bras raccourcis sur leurs enfants en oubliant leurs priorités. Pour un vase cassé, un verre répandu au sol, un vêtement qui traîne au salon, un jouet perdu, ils crient, tempêtent, au risque de blesser leur enfant. Ils font passer les massifs de fleurs, le canapé du salon, le vase de grand-mère avant leurs enfants.

« Qu'est-ce qui est le plus précieux pour moi ? » est la première question à se poser avant d'intervenir. Le parent est un adulte, il est doté d'un cerveau capable d'inhiber une réaction automatique et de choisir son comportement en fonction de ses valeurs et de ses objectifs. Le cerveau d'un enfant n'en est pas encore capable.

Si je réponds : « Ce qui est le plus précieux pour moi est l'amour de mes enfants, leur confiance en moi, ou de n'avoir jamais à rougir devant eux », je vais protéger cet amour, cette confiance.

Je ne réagirai pas de la même manière que si je réponds : « Ce qui est le plus précieux pour moi est le jugement de ma belle-mère, la propreté de ma cuisine, ou ma tranquillité personnelle » ; je risque alors de protéger mon image de bonne mère ou de bonne ménagère, ou encore ma tranquillité.

Ce choix est bien sûr rarement conscient, il en est d'autant plus puissant. **Votre enfant entend votre inconscient ! Pour lui vos réactions sont plus signifiantes que vos mots.** Si, exaspérée par un verre cassé ou une tache sur sa chemise, vous l'humiliez, vous le blessez, il pense que le verre ou la chemise sont plus importants que lui. Au-delà de tous vos « je t'aime mon petit chéri », susurrés en d'autres instants, il intègre le message « je ne suis pas important pour maman », ou « je ne suis aimé que si je suis parfait, si je ne suis pas moi-même ».

Devenir conscient de ce qui anime nos réactions

face à nos enfants peut changer radicalement nos comportements.

Théodora a une relation affreuse avec sa mère. Celle-ci l'a humiliée et rabaissée toute son enfance. Théodora a maintenant des enfants et sa mère se comporte de manière intolérable avec ses petits-enfants. Elle délaisse le grand frère et manifeste bruyamment ses préférences au petit. Elle le comble de cadeaux, l'emmène au zoo ou au cinéma... Théodora, jusque-là pétrifiée devant sa mère, ne disait rien. En se posant la question de ce qui était le plus précieux pour elle, elle s'est aperçue que, par son comportement, elle protégeait sa mère ou, plus exactement, l'espoir que celle-ci allait enfin l'aimer. Et ce, au détriment de ses enfants. Cette simple prise de conscience a suffi. Le bonheur de ses enfants était plus précieux que la soumission à sa mère. Théodora a pris position clairement face à cette dernière, qui, devant la détermination de sa fille, a rapidement cessé son jeu destructeur.

Un enfant bouscule forcément l'ordre établi par ses parents. C'est dans la nature des choses. Si ces derniers ne le laissent pas déranger leur ordre, s'ils continuent de « vivre comme avant », c'est-à-dire comme s'il n'était pas là, en ne changeant rien ni à leur mode de vie, ni à leurs rythmes de travail ou de sorties, il pourra en conclure qu'il n'est pas important, voire qu'il n'a pas droit à une existence propre. Il pourra en concevoir un sentiment de honte (je dérange) et d'infériorité (je ne suis pas à la hauteur).

Un enfant a besoin de sentir qu'il est précieux, qu'il a sa place, qu'il est important et que ses besoins comme sa réalité sont pris en compte.

« Qu'est-ce qui est le plus précieux pour moi ? »

Cette question m'a aidée : quand j'étais réveillée plusieurs fois par nuit, quand la pivoine que j'avais plantée au milieu du jardin a subi les assauts de deux jambes qui n'arrivaient pas à s'arrêter, ou quand le travail que je venais de réaliser sur mon ordinateur a été effacé par la manipulation malencontreuse de petites mains de deux ans... ou tout simplement quand j'étais fatiguée et que je découvrais qu'il me fallait encore me baisser pour éponger le sol.

Mais c'est clairement chose acquise, le plus important pour moi, c'est l'amour et la confiance en eux de mes enfants. Je désire aussi qu'ils aient confiance en moi. Ma route est donc claire : ne jamais les blesser, leur mentir, les humilier, les trahir, ou les terroriser ; en toutes circonstances, je vais me montrer honnête, montrer ce que je ressens, et écouter ce qu'ils ressentent, les aider à s'aimer, à valoriser leurs capacités, à assumer leurs responsabilités sans culpabilité.

Quand nos enfants perturbent notre espace, quand nous ne savons comment agir, quand nous sentons que nous n'agissons pas en fonction d'eux mais de nos propres parents ou plus généralement du regard d'autrui, posons-nous la question :

| Qu'est-ce qui est le plus précieux pour moi ? |

7

Quel est mon objectif ?

Dans l'absolu, il n'y a pas de bon ou de mauvais chemin. Il y a celui qui me mène à destination, et celui qui m'en éloigne. Selon que je vais en Espagne ou en Allemagne, je ne prends pas la même route. Ensuite, il y a des voies plus ou moins directes, plus ou moins rapides.

Est-ce « bien » ou est-ce « mal » de laisser l'enfant choisir les vêtements qu'il désire porter ce matin ?

Est-ce « bien » ou est-ce « mal » de consentir à une demande ?

Est-ce « bien » ou est-ce « mal » de le laisser pleurer ?

Est-ce « bien » ou est-ce « mal » de le coucher à vingt heures ?

En réalité ce n'est ni bien ni mal, ça rapproche ou ça éloigne d'un objectif. Un jour vous répondrez oui, un autre non. En fonction de l'évolution de votre enfant, de ses besoins et de votre objectif. Dans la relation aux enfants, plutôt que de conseils extérieurs sur ce qui est « bien » et « mal », il est primordial pour le parent d'avoir en conscience sa destination : « Quel est *mon* objectif aujourd'hui dans ma relation avec mon enfant ? »

Karine vient de recevoir une paire de rollers pour son anniversaire. Géraldine, sa sœur aînée, huit ans, en veut aussi, et tout de suite. Suzanne, la maman, a dit non. Elle les lui offrira lors de son anniversaire, dans deux mois. Bon, les vacances approchent. Ce serait bien que les filles aient toutes deux leurs rollers pour jouer ensemble. Mais c'est alors Karine qui trouverait la situation injuste. Suzanne se demande ce qu'elle doit faire, pèse le pour et le contre, et requiert mon avis. Je lui propose de penser à sa relation avec Géraldine en ce moment et de se poser la question : « Quel est mon objectif ? »

Sa relation avec sa fille aînée est difficile. Géraldine est très jalouse de sa sœur... à juste titre, avoue la maman. Depuis le début, tout est plus facile avec Karine. Normal, c'est une deuxième. Suzanne me raconte l'accouchement difficile de son premier enfant, leur histoire à toutes les deux. Elle souffre de ne pas avoir pu, pas avoir su, manifester autant d'amour à Géraldine que plus tard à sa petite sœur. Son objectif ? Réparer ! Dire à Géraldine combien elle l'aime, combien elle est importante à ses yeux. Alors que faire ? Je n'ai rien dit. Suzanne a acheté les rollers le soir même à sa fille en lui expliquant qu'elle les lui offrait comme témoignage de son amour pour elle, et réparation du passé. Suzanne a laissé parler son cœur, Géraldine a entendu le message. Ce fut un moment fort pour toutes les deux.

Une autre situation, un autre objectif aurait néces-

sité une autre réaction. **Il n'y a pas de réponse univer-
selle, mais une réponse pour cet enfant-là, et ce
parent-là, à cet instant-là de leur histoire commune.**

En fait, derrière chacun de nos actes il y a des
objectifs, plus ou moins conscients. Il peut arriver que
nous nous comportions dans la réalité à l'encontre de
nos objectifs conscients. Comme Paméla, par exemple,
qui proclame désirer que ses enfants grandissent et
soient capables de penser par eux-mêmes, et qui chaque
soir leur prépare les vêtements qu'ils devront porter le
lendemain.

Nos objectifs déterminent nos réactions et donc
notre relation à l'enfant, et ce d'autant plus qu'ils restent
inconscients. En devenir conscient nous permet de
choisir et de créer la relation que nous voulons.

Si mon objectif est d'avoir une cuisine impeccable,
je ne me comporterai pas de la même manière que si
mon objectif est d'apprendre à mes enfants qu'ils peuvent avoir confiance en moi en toutes circonstances.

Si mon objectif est de permettre à mes enfants de
s'autonomiser et de penser par eux-mêmes, je ne vais
pas me comporter de la même façon que si mon objectif
est de les rendre soumis et obéissants.

Si mon objectif est de rassurer mon enfant sur
l'amour que je lui porte, je n'agis pas de la même
manière que si mon objectif est de l'aider à grandir et à
traverser la frustration.

Si mon objectif est de prouver à mon mari que je
suis une femme parfaite et irréprochable, je ne me
comporterai pas de la même manière que si mon objectif est d'être attentive aux besoins de mes enfants.

Tant que je suis préoccupé(e) par le jugement d'autrui, que ce soit réel ou imaginaire, je ne peux me centrer sur les réels besoins de l'enfant.

Considérer comme importants les besoins d'un enfant, le faire passer en premier, le respecter, ne signifient ni « lui laisser tout faire », ni « ne rien dire quand il abîme ou casse quelque chose », c'est montrer mes émotions tout en continuant de l'aimer profondément et de le lui manifester.

J'affectionnais particulièrement un beau verre soufflé à la main et orné d'un serpent bleu, offert par mon compagnon. Les enfants avaient interdiction d'y toucher. Une seconde d'inattention a suffi pour qu'un jour Adrien (deux ans) s'en empare et... le lâche. Lorsque le verre s'est brisé sur le carrelage de la cuisine... j'ai éclaté en sanglots. J'aimais ce verre... Mais je suis restée consciente de mon amour pour mes enfants et de mon objectif : leur transmettre le message que mon amour était inconditionnel et qu'ils pouvaient me faire confiance. J'ai donc exprimé ma colère sans accuser mon fils, qui, je le voyais à travers mes larmes, était déjà choqué par le bris du verre. Voyant ma réaction, Adrien s'est mis à pleurer. J'ai pu le rassurer, lui dire que je continuais de l'aimer, et que j'avais besoin de pleurer parce que j'étais triste que mon verre soit cassé. **J'ai parlé de moi, pas de lui.** J'ai montré mes sentiments, je ne l'ai pas jugé.

Après cela il a plusieurs fois répété : « Une fois, j'avais cassé ton verre et tu avais pleuré, et moi aussi j'avais pleuré. » Il en a parlé, il avait besoin d'évoquer la situation comme pour la digérer.

Chaque fois j'ai répondu : « Oui, j'ai pleuré parce que j'aimais beaucoup ce verre, et il était cassé, je ne pouvais plus boire dedans, c'est naturel de pleurer quand on est triste d'avoir perdu quelque chose qu'on aime. »

Quelques mois plus tard, Adrien a posé avec attention sur la table un grand verre : « Je l'ai pas cassé, tu vois maman, parce que l'autre fois j'avais cassé ton verre, et tu avais pleuré. Je n'aime pas quand tu pleures. Et moi aussi j'avais pleuré parce que j'avais cassé ton verre. Tu avais pleuré, et moi aussi j'avais pleuré. »

Adrien est maintenant globalement plus attentif à ce qu'il touche. Il le formule lui-même, il est devenu conscient de ce que pouvait représenter pour autrui, pour moi, le bris, la perte d'un objet cher. Il s'est senti coupable, mais d'un sentiment sain de culpabilité qui est attention au vécu de l'autre et conscience des conséquences de ses actes et qui le guide vers une prise de responsabilité.

Tandis que si je l'avais grondé, si je l'avais traité de maladroit, si j'avais crié sur lui, le risque aurait été qu'il se sente mauvais à l'intérieur de lui. Il aurait éprouvé un sentiment de honte et de culpabilité malsaine, retour contre lui d'une colère bien naturelle pour se défendre d'une humiliation, mais indicible, puisque c'était lui qui était « en faute ». Par la suite, ayant accepté la définition de « maladroit » ou de « qui ne fait jamais attention », il aurait été attentif non pas aux verres et autres objets, mais à « ne pas être maladroit »... Tendu, concentré sur sa défaillance possible, la maladresse, plutôt que sur son objectif, porter le verre, il aurait fatalement cassé d'autres choses. Mais, et surtout si l'aventure s'était répétée, il aurait conservé l'idée qu'il était mauvais, maladroit. Et quand vous êtes persuadé que vous êtes maladroit... vous risquez davantage de casser que si vous vous savez adroit. Votre objectif est-il d'apprendre à votre enfant l'adresse ou la maladresse ?

En réalité, si vous protégez toujours votre enfant comme ce qui est le plus précieux pour vous, vos objets fragiles seront aussi plus en sécurité. **Un enfant qui se sent précieux se montre attentif à autrui et aux conséquences de ses actes,** il agit non par peur de « mal » agir, mais avec respect pour les sentiments d'autrui et responsabilité. Alors quel est votre objectif ?

Quel est mon objectif ?

8

Sept questions à garder en mémoire :

1. **Quel est son vécu ?**

2. **Que dit-il ?**

3. **Quel message ai-je envie de lui transmettre ?**

4. **Pourquoi je dis cela ?**

5. **Mes besoins sont-ils en compétition avec ceux de mes enfants ?**

6. **Qu'est-ce qui est le plus précieux pour moi ?**

7. **Quel est mon objectif ?**

III

LA VIE EST MOTION

Il n'est pas toujours facile d'écouter les émotions des enfants. Elles nous remuent, menacent notre sentiment d'être une « bonne mère », ou un « bon père ». Elles nous insécurisent : « Que dois-je faire ? » Elles mettent en échec notre rôle de protecteur, nous confrontent à notre fonction de pourvoyeur. Osons le dire, nous aimerions parfois que nos enfants ne pleurent pas, ne crient pas, ne se roulent pas par terre. Nous préférerions qu'ils n'aient pas tant d'émotions.

Seulement voilà, leurs affects sont ce qu'ils ont de plus précieux, là résident leur sentiment d'identité, la sensation de leur existence propre.

Un enfant sage comme une image est tranquille, mais il est quelque part mort en lui. **La vie, c'est le mouvement.** Une image est immobile. Pour ressembler à une image, l'enfant a dû tuer le mouvement en lui. E-motion, E = vers l'extérieur, motion = mouvement. **L'émotion est le mouvement de la vie en soi.** C'est un mouvement qui part de l'intérieur et s'exprime à l'extérieur. C'est le mouvement de ma vie qui me dit et qui dit à mon environnement qui je suis.

La peur aide à se préparer et à se protéger. La tristesse accompagne les deuils, la joie est expansion, elle nous dynamise. La colère définit nos limites, nos droits, notre espace, notre intégrité, elle est réaction à la frustration. L'amour nous relie à autrui.

Pleurer, crier, trembler sont des remèdes aux inévitables tensions de la vie. L'existence d'un petit est pleine de frustrations, de questions, de peurs, de colères... Tous les bébés ont *besoin* de pleurer, aussi bien accompagnés soient-ils. **L'émotion permet de se récupérer, de se reconstruire après une blessure.** Un événement blessant, un accident, une épreuve, une injustice, ne deviennent traumatismes que si on ne laisse pas libre cours à l'expression des sentiments qu'ils suscitent. La fluidité émotionnelle est garante de la santé psychique.

Nos émotions ont mauvaise presse, mais elles sont utiles. Ce sont elles qui nous donnent notre conscience d'Être.

1

Qui suis-je ? Un être d'émotion

La clef qui ouvre la porte de la conscience de soi, c'est l'émotion.

« Bonjour bonhomme !

— Je ne suis pas un bonhomme, je suis Adrien. »

Adrien, deux ans et deux mois (précoce, il est vrai), n'aime pas qu'on le définisse. Depuis quelques jours, il revendique son prénom. Quand, pour jouer, j'approche son assiette en lui disant : « Monsieur est servi », il répond : « Je suis pas un monsieur, je suis Adrien. »

Adrien existe. Il affirme son identité, son individualité, sa vie à lui, en exprimant ce qu'il veut et ne veut pas, ce qu'il ressent, ce qu'il vit.

« **Je** suis très fâché, très en colère, parce que je suis en colère. »

« **Je** n'ai pas envie de dormir. »

« **Je** suis triste si tu t'en ailles, je ne veux pas que tu t'en ailles. »

« Oh, maman, comme **je** suis content de te revoir ! »

« Quand **j'**ai renversé la salière dans ma bouche, ça m'a brûlé, **j'**ai pleuré. »

Quand il s'exprime ainsi, nous pouvons être tentés de répondre :

« C'est comme ça et pas autrement »,

de faire la leçon :

« Il faut que tu dormes pour être en forme demain matin »,

d'expliquer :

« Tu sais, je dois aller travailler... »

Nous donnons des réponses, nous cherchons à clore l'affaire, à résoudre le problème... et nous n'écoutons pas l'enfant. En réalité, dans ces expressions, il ne nous demande rien. **Il cherche à dire** JE !

Il exprime des sentiments, il formule ce qu'il ressent, il montre son être intérieur, il se dit et nous dit qui il est et ce qu'il vit. Il est en train de se sentir exister pour lui-même, et nous lui parlons d'autre chose ? En lui répondant sur le contenu au lieu d'entendre l'émotion, nous lui exprimons en clair que ses sentiments n'ont pas d'importance, que son JE n'est rien. Derrière nos explications rationnelles, il entend seulement qu'il a tort de sentir ce qu'il sent !

D'où vient que nous réagissons de manière si insensible ? Nous avons enfermé nos propres émotions si loin que nous préférerions ne pas aller les chercher. Nous ne voulons pas nous laisser émouvoir... Aurions-nous peur de voir nos émotions refoulées resurgir et nous déborder ? Qu'avons-nous donc vécu au même âge ? Redoutant de réveiller un passé probablement trop douloureux, nous en venons à refuser d'entendre les cris de nos enfants. Ce faisant nous les enfermons derrière les mêmes barreaux que nous.

Et si nous en profitions plutôt pour suivre la direction qu'ils nous proposent, sortir de notre prison et leur laisser leur liberté d'être ?

Écouter, accueillir et valider les sentiments de nos enfants, c'est les aider à se construire en tant que personne, à exister en tant qu'individu.

Qui suis-je ? **JE.**

Le sentiment de soi repose sur la conscience de ses émotions propres. **Je suis celui que je me *sens* être.**

Si l'enfant n'a pas le droit d'exprimer ce qu'il ressent, si personne ne l'écoute dans ses larmes, ses rages ou ses terreurs, si personne ne valide ses sentiments, ne lui confirme que ce qu'il ressent est juste et qu'il a le droit de ressentir exactement ce qu'il ressent, alors l'enfant peut aller jusqu'à effacer la conscience de ce qu'il éprouve réellement. Soit il ne ressent plus rien à l'intérieur, soit il éprouve... une autre émotion « autorisée » en lieu et place de sa vérité.

Quand l'enfant n'a pas le droit de ressentir par lui-même, il reste... celui défini par ses parents, ses professeurs... les autres. Ils lui disent qui il est, il endosse le rôle. Il ne se sent plus Être.

Les adultes ne savent pas toujours ce qui est important pour un enfant. Pour nous, Babar ou Nounours dessinés sur une assiette, quelle importance ? Pour un petit de trois ans, c'est quasi existentiel. Il pique des rages terribles parce qu'il voulait l'assiette avec Babar, le verre bleu, la fourchette rose, le beurre non encore fondu, pas le brûlé sur la pizza... Nous pouvons nous sentir exaspérés parce qu'à son âge nous n'avions pas tant de choix. Et cela nous complique la vie dans le moment. Tous ces « détails » revêtent à ses yeux une grande importance, l'écouter est réellement utile pour l'aider à élaborer ses goûts et préférences. Même pendant l'inévitable période où il adore les champignons un jour et les abhorre le lendemain.

À travers ses choix, il se cherche. Il a des préférences et les exprime. Il prend conscience de ce qui le différencie d'autrui. Il construit son sentiment d'identité. Tant d'adultes aujourd'hui ne savent pas décider, hésitent entre les voies à suivre, ne savent plus exprimer une préférence pour la pizzeria ou le restaurant chinois, s'en remettent au choix des autres... ont du mal à affirmer une identité claire !

2

« Alors, il faut tout leur passer ? »

La petite phrase est censée réduire à néant la démonstration. Elle reflète une incompréhension de ce que sont les émotions et les besoins des enfants. **Non, l'écoute respectueuse des émotions n'implique pas systématiquement la satisfaction des demandes.**

Nous allons au cirque. À l'entrée, sont proposées à la vente toutes sortes de casquettes clignotantes et d'objets fluorescents. Margot me tire par le bras et, montrant du doigt un bâton fluo, me dit :

« Maman, regarde, j'ai envie d'un truc comme ça !

— Non, je ne veux pas acheter ce truc, c'est trop cher ! » ai-je malencontreusement répondu...

Excédée, elle m'a rétorqué :

« Je sais que tu ne vas pas me l'acheter, mais j'ai quand même le droit d'en avoir envie ! »

Eh oui, elle en avait le droit ! Je m'étais laissée aller à une vieille réponse automatique.

La question de la frustration se pose sans cesse dans l'accompagnement de l'évolution de l'enfant. Entre les « permissifs » qui tentent de frustrer le moins possible et les « autoritaires » qui frustrent davantage, quels sont les besoins de l'enfant ?

Résister à la tentation

Dans son livre *L'Intelligence émotionnelle*, Daniel Goleman cite une expérience menée par un psychologue, Walter Mischel, sur des enfants de quatre ans. Il est fait aux enfants la proposition suivante : « Je te laisse dans cette pièce, il y a un marshmallow dans cette boîte. Soit tu le prends et tu n'en as qu'un. Soit tu patientes le temps que j'aille faire une course et je t'en donne deux. »

Environ un tiers des enfants a bondi sur le bonbon dès la sortie de l'expérimentateur. Deux tiers ont attendu son retour et ont obtenu deux bonbons. Cette expérience ayant été menée dans une garderie de l'université de Stanford, il a été possible de suivre les enfants au cours de leur scolarité.

Douze à quatorze ans plus tard, les différences sur le plan psychologique et social entre les impulsifs et les autres étaient spectaculaires. Ceux qui avaient résisté à la tentation avaient davantage confiance en eux, étaient plus solides, efficaces, et capables de surmonter les obstacles. Ils étaient moins vulnérables devant le doute, la peur et l'échec, résistaient mieux au stress et savaient poursuivre leurs objectifs malgré des difficultés.

Les enfants qui avaient mangé le marshmallow immédiatement avaient un profil psychologique plus perturbé. Plus têtus, plus indécis, évitant le contact avec autrui, ils étaient facilement contrariés quand les choses ne se déroulaient pas comme ils le désiraient, et avaient tendance à abandonner devant les difficultés.

À la fin des études secondaires, les premiers étaient nettement meilleurs élèves. Ils obtenaient des résultats de vingt pour cent supérieurs à ceux de leurs camarades ! Savoir résister à une impulsion, retarder la satisfaction d'une pulsion, est très important pour l'avenir. Dès quatre ans, les performances d'un enfant sont prédictives de ses capacités futures.

Les toxicomanes, les délinquants, notamment, sont des personnes qui ne supportent pas la frustration. Le moindre obstacle à leurs désirs est vécu comme une atteinte grave.

L'aptitude à gérer la frustration, à différer une satisfaction, à subordonner le présent à un futur, est un élément fondamental de la capacité au bonheur, tant elle est utile dans la vie pour réaliser ses projets et nourrir des relations aux autres harmonieuses.

Comment l'enfant apprend-il à gérer la frustration ?

Le frustrer exprès est voué à l'échec. Laisser pleurer un bébé, refuser de le prendre dans les bras, priver un plus grand de câlin ou de cadeau, ont été des stratégies utilisées par les parents d'hier en vue de « ne pas gâter » et d'éduquer à la frustration. Ces méthodes ont fait la preuve de leur inefficacité.

L'enfant en conçoit une sensibilité particulière à la frustration, tout délai dans la satisfaction d'une pulsion devient intolérable, le manque crée de l'angoisse qu'il tente de contrôler par une dépendance (alcool, drogue, tabac, couple, comportements compulsifs...) et/ou il se blinde, apprend à nier ses besoins.

Certaines personnes, me voyant allaiter mes enfants à la demande, répondre à leurs besoins, refuser de les laisser pleurer seuls dans une chambre, nous ont certifié que nous en faisions des mauviettes incapables de gérer la frustration. En réalité, je constate qu'ils gèrent tous deux la frustration très efficacement et même de manière assez étonnante pour leur âge.

En Suède une étude aurait mis en évidence une réduction notable du nombre de caries par l'instauration d'un « jour de bonbons ». L'enfant peut manger des sucreries un jour par semaine et pas du tout le reste de la semaine. J'ai trouvé l'idée intéressante, pour les caries, mais aussi pour mettre des limites non répressives à la consommation de friandises. J'ai proposé l'idée à mes enfants de quatre et deux ans.

Nous avions choisi le samedi. La famille élargie a été informée. Pas question qu'une grand-mère ou un oncle ne les tentent exagérément. S'ils recevaient des bonbons un autre jour, ils étaient invités à les conserver pour le samedi. S'ils les mangeaient tout de même, libre à eux. Ils savaient que j'étais mécontente. Cela suffisait en général pour limiter les abus. J'exprimais seulement ma désapprobation, je ne les punissais ni ne grondais. Ils savaient qu'ils n'avaient pas à m'« obéir », mais qu'il s'agissait d'un contrat passé entre nous.

Le plus souvent, lorsque Margot recevait des confiseries, elle me les confiait pour « le samedi ». Parfois, je la voyais se dépêcher de mettre un bonbon dans sa bouche ou foncer dans sa chambre pour les dissimuler dans un coin... Un ou deux bonbons avalés ne sont rien à côté de l'importance de cet apprentissage. Or, elle devait se sentir libre de son choix de manger ou de conserver. Sinon la frustration lui aurait semblé imposée de l'extérieur !

Même Adrien, deux ans et demi, a soigneusement dissimulé trois bonbons reçus d'une baby-sitter jusqu'au samedi suivant. Une autre fois, il a réussi à conserver une sucette offerte au restaurant tout le chemin du retour en voiture et me la confier comme sa sœur en rentrant. En revanche, le samedi (quatre jours plus tard), au lever, ses premiers mots ont été : « Je veux ma sucette. »

Besoins et désirs

Depuis Françoise Dolto, on sait que trop de frustrations peut traumatiser, mais aussi que la frustration est nécessaire et aide à grandir. On sait qu'il y a des désirs et des besoins, et que tous deux ne sont pas à mettre sur le même plan.

Les enfants n'ont pas *besoin* de la voiture rouge ou de la poupée blonde, ils en ont *envie*. En revanche, ils ont absolument *besoin* que **leur colère, expression de leur frustration, soit respectée et entendue.** Il est clair qu'il est important de ne pas dire oui à tout, il est structurant de se voir opposer un refus (justifié).

Il se roule par terre de fureur ? Il n'a pas vraiment besoin du bonbon, même s'il en a très envie. **Il a besoin d'exprimer sa frustration. Il cherche à ce que sa fureur soit entendue.** C'est important pour lui parce qu'il a besoin de vérifier que votre refus ne signifie pas une rupture. Vous lui avez dit non, la relation est en péril, il est vite dépassé par l'intensité de ce qu'il ressent. Il hurle, mais observez-le, il cherche à vous taper, il cherche le contact. Si vous vous esquivez, il tape contre le mur, contre un objet, se roule par terre, il a besoin de réparer la relation. Ne le privez donc pas de contact au moment où il en a le plus besoin.

Pendant l'entracte, Margot regarde avec envie le groupe de ballons qui passe entre les rangées de sièges.

« Maman, je veux un ballon ! »

J'aurais pu lui dire non, lui faire la morale :

« Je ne peux pas toujours acheter, ces ballons coûtent cher »,

mentir :

« Je n'ai plus d'argent »,

détourner son attention :

« Regardons ensemble le programme, montre-moi comme tu sais bien lire. »

Forte de sa remontrance à l'entrée du cirque, j'ai regardé les ballons. Je les ai trouvés beaux moi aussi. Je me suis exclamée :

« Celui que je préfère, c'est le perroquet. Oh non, regarde, il y a aussi Simba avec son papa. »

Elle a enchaîné :

« Moi, je préfère la sirène rose ! »

Nous avons ainsi dit tout ce que nous aimions. Un petit garçon tout près de nous est entré dans le jeu : « Il y a aussi Mickey »... Nous avons passé un bon moment à parler ensemble, à rêver... plus besoin d'acheter le ballon. Le désir exprimé, avoir un ballon, a disparu devant le besoin satisfait (le besoin de se sentir relié, de partager quelque chose).

Que rien de systématique ne soit entendu ici. Satisfaire les envies en offrant bonbons ou cadeaux n'est pas toxique en soi. Refuser tout achat sous prétexte qu'ils n'en ont pas *besoin* serait injustice. Les enfants risqueraient d'en déduire que le plaisir leur est interdit, avec toutes les conséquences que cela peut avoir sur leur joie de vivre présente et future. Il est bon de se rappeler que les bonbons ou ballons donnés ou refusés ne sont pas seulement une confiserie ou un gadget, mais des prétextes à un apprentissage de la relation. Ne laissons pas quelques sucreries altérer nos relations à nos enfants !

La frustration est inévitable dans la vie, il est inutile d'en rajouter excessivement. Un jour ou l'autre, pour faire respecter vos besoins, pour le protéger, garantir sa santé, vous frustrez votre enfant.

La question est alors : comment l'accompagner dans le vécu de sa frustration ? Acceptez d'écouter sa colère.

3

« Je ne le comprends pas »

Le message est déplacé

Margot se dispute avec son frère. Ils jouent aux indiens avec de petits personnages. Elle veut le petit cheval gris que son frère serre jalousement dans sa main et non pas le marron qu'il lui propose. C'est l'impasse. Elle pleure. Elle veut absolument le cheval qu'elle ne peut avoir. Que se passe-t-il ?

J'élargis mon regard à l'ensemble de la scène : sa marraine est assise sur le canapé et discute avec le père de Margot. Or, quelques minutes auparavant, j'étais montée la mettre en pyjama et elle m'avait confié : « Je vais faire que des câlins à ma marraine parce que je la vois pas souvent. » Lorsque nous sommes redescendues, sa marraine était en grande conversation. Margot n'a pas osé l'interrompre et s'est mise à jouer tranquillement non loin. Elle attendait un signe de sa marraine pour aller vers elle. Le signe n'est pas venu. Elle était frustrée. Impossible d'exprimer la véritable origine de la frustration sans prendre le risque du rejet. Elle a alors dit sa frustration indirectement, la reportant sur le cheval. Elle est entrée en conflit avec son frère, plutôt qu'avec sa marraine, mais le message était clair : « Tu ne me donnes pas ce que je veux. »

Elle traduit ce que je ne m'avoue pas

À la rentrée de Noël, Lucile pleure : « Je ne veux pas aller à l'école, je n'ai pas de copine. » Sa mère ne comprend rien. « Mais si, qu'est-ce que tu me chantes ? Tu as plein d'amies. Alexandra, Chloé, Nuria, Saïda, Camille, c'est tes copines, non ?

— Elles veulent plus jouer avec moi.

— C'est pas vrai, Chloé t'a invité chez elle mercredi dernier, tu vas chez Camille la semaine prochaine et quand j'arrive à l'école je te trouve absorbée dans tes jeux avec l'une ou l'autre. »

Lucile ravale ses larmes et, résignée, elle part à l'école. Élargissons encore une fois notre regard à l'ensemble de la situation.

Lucile dit qu'elle n'a pas d'amis. Or elle a des copines. Elle ne parle peut-être pas d'elle ! Elle dit « je » parce que sa mère ne l'entend pas quand elle lui dit « tu ». Pourtant Lucile a raison. Martine, sa mère, n'arrive pas à se lier en profondeur. D'un abord pourtant très sociable, extravertie en surface, Martine ne s'aime pas vraiment. Passé le premier contact, elle préfère s'éloigner, de peur que les gens ne découvrent qui elle est en réalité, c'est-à-dire qui elle se croit être : quelqu'un d'inintéressant qui n'a rien à dire.

Martine et Lucile sont parties ensemble pendant les

vacances. Elles ont ri, partagé. La petite fille a vu sa maman s'égayer, sortir de cette tristesse dans laquelle elle plonge trop souvent. Elle ne veut pas de nouveau la laisser toute seule sous prétexte que l'école reprend.

Elle a bien tenté de signifier à sa mère qu'il lui faudrait se faire des copains, des copines... Mais sa maman lui a répondu en banalisant : « J'en ai eu des amis, bon, je n'en ai plus aujourd'hui, c'est la vie. » Alors, hésitant à se résoudre à aller à l'école sans rien dire de plus, elle a tenté un dernier message, en prenant à son compte le problème. Sa mère n'a rien compris. Évidemment qu'elle en a des copines. Elle tentait de dire à sa mère qu'elle aimerait bien qu'elle aussi en ait !

Encore une fois, les caprices n'existent pas. Si vous ne comprenez pas ce que votre enfant met en avant, allez plus loin. Tentez de réfléchir à ce qu'il peut vivre. Qu'est-il en train de dire de ses besoins ? Exprime-t-il quelque chose qui ne lui appartient pas ?

Écoutez le message et élargissez votre regard pour embrasser l'ensemble de la situation. À qui ou à quoi peut bien s'adresser le message ?

Mon bébé pleure sans raison

Les pleurs sont associés à la souffrance. En réalité, comme l'explique très bien le docteur et chercheur Aletha Solter, ils sont l'effort de l'organisme pour se reconstruire, ils sont le processus thérapeutique ! **« Pleurer est un outil naturel de réparation »**, nous dit-elle. Pleurer fait baisser la tension artérielle, élimine des toxines, relâche les tensions musculaires, rétablit la respiration. Après avoir pleuré, mais vraiment pleuré, en sanglotant profondément, on se sent détendu, libéré.

Le travail de psychothérapie consiste pour beaucoup à exprimer des émotions refoulées dans le passé pour retrouver son être véritable. Le souvenir du vécu douloureux retrouvé, j'invite les personnes à « pleurer dehors » ce qui fait mal. Les bébés, comme tout le monde, ont besoin de pleurer dehors ce qui les fait souffrir.

Les pleurs n'ont donc pas toujours pour motivation des besoins immédiats, ils peuvent être simplement l'expression de tensions accumulées, de plaintes quant au passé. Quand par exemple l'accouchement s'est mal passé, le bébé peut avoir besoin de se plaindre, parfois des semaines plus tard, d'une naissance qu'il a vécue dans la peur ou la douleur.

Les nourrissons ont d'énormes besoins de tendresse, de contact, de portage, d'odeurs, de caresses. Un bébé posé des heures dans un berceau accumule des tensions qu'il aura besoin de « pleurer dehors ».

Quand les émotions suscitées par les souffrances, les manques, les frustrations, ne peuvent être exprimées immédiatement ou ne sont pas entendues, elles s'impriment dans le corps. Dès que l'enfant perçoit une occasion de se libérer de toutes ces tensions, par exemple quand sa maman rentre le soir, il en profite, il se met à sangloter. Il dit ainsi sa détresse. Il se décharge de ce qu'il portait à l'intérieur de lui. Il a alors besoin d'accompagnement, de respect pour ce qu'il vit, de contact, pour s'accepter dans cette émotion sans se sentir menacé de destruction. Ne cherchez pas à faire taire les pleurs, favorisez-les au contraire pour que l'enfant se sente libéré.

Le pédiatre T. B. Brazelton rejoint Aletha Solter en parlant d'un besoin de décharger des tensions accumulées dans la journée. Selon eux, la plupart des bébés pleurent en moyenne un minimum d'une heure par jour.

Mon enfant pleurniche pour un rien

Les pleurnicheries pour un oui ou pour un non d'un plus grand peuvent être des tentatives de trouver un moyen de pleurer vraiment. Des affects sont bloqués, il a besoin d'une occasion de les libérer. L'enfant cherche une permission, un prétexte pour laisser sortir larmes ou colère. Même l'enfant plus grand qui a accès à la verbalisation, même l'adulte, ont besoin de pleurer, de crier, de trembler, pour se libérer d'émotions fortes.

Toutefois il y a des pleurs qui guérissent et d'autres qui entretiennent le problème. Les pleurs inutiles partent du haut de la poitrine, et peuvent être sans larmes. Sentiments de substitution, ils servent la répression émotionnelle et non la libération. Les pleurs de libération sont accompagnés de sanglots et de larmes.

Serrez l'enfant contre vous avec fermeté et tendresse jusqu'à la libération de l'émotion contenue. Il va souvent commencer par se débattre, puis se mettra à sangloter.

Rêves et cauchemars

Margot (cinq ans) vient me voir au milieu de la nuit : « Maman, j'ai fait un cauchemar, je voulais te le raconter. Il y avait un loup qui a attrapé une chèvre. Il a enfermé la chèvre dans une cage. Moi, avec mes copines, on voulait libérer la chèvre. Mais on avait peur du loup. J'ai réussi à ouvrir la cage, la chèvre est sortie, mais le loup m'a sauté dessus et il m'a mordu la main. »

Tous les personnages du rêve représentent différentes parties, différentes émotions, du rêveur.

La veille au soir, nous nous étions disputées. Elle voulait que je fasse un nœud dans ses cheveux avec un foulard. Le résultat n'ayant pas été conforme à ses attentes, ce n'était pas « comme sa copine », elle s'était mise très en colère. Elle a crié, m'a tapée, a voulu jeter par terre mes documents...

Revenons au rêve. Nous pouvons entendre qu'une partie des sentiments de Margot (la chèvre) ont été enfermés dans une cage. Elle réprimait ses émotions. Une chèvre, c'est têtu, ça a des cornes, ça sait ce qu'elle veut. La chèvre personnifie probablement des désirs frustrés. Elle a fini (avec l'aide de ses copines = avec le prétexte du foulard) par libérer la chèvre. Mais elle a eu peur du loup. Ce loup est la personnification de son agressivité. Dès qu'elle a libéré la chèvre, le loup lui a sauté dessus = dès qu'elle a manifesté son émotion, son agressivité l'a envahie. Elle a eu peur de ce qu'elle a fait, a retourné contre elle son agressivité. Et cette main qui a tapé sa maman a été mordue par le loup !

Margot a trois ans. Elle a du mal à s'endormir le soir et parfois se réveille la nuit : elle a peur du loup.

Nous avons fini par repérer qu'elle avait régulièrement cette panique quand elle avait frappé son frère dans la journée.

Quand Margot tape son frère, elle se sent méchante. Elle ne veut pas se sentir méchante et donc elle projette cette méchanceté en dehors d'elle. Ce n'est pas elle qui est méchante, mais le loup bien sûr. Mais ça fait peur ce loup méchant ! Il va « punir » l'enfant de sa méchanceté !

« Je suis en colère, je n'en ai pas le droit, je suis méchante, non, c'est le loup qui est méchant et qui va me punir, j'ai peur. »

La peur est ainsi fréquemment le retournement contre soi d'une colère indicible. En fait Margot est furieuse contre son petit frère qui décidément prend beaucoup de place. Elle a besoin de la réassurance de ses parents.

Les loups, les monstres, les ogres... servent de support de projection à cette colère qu'il faut mettre en dehors de soi pour qu'elle ne risque pas de nous détruire. L'enfant peut avoir peur de l'ogre sous son lit, du monstre dans le placard ou du loup qui va le manger... quand il est éveillé. Il peut aussi les voir apparaître quand il dort, dans ses cauchemars.

Tous les cauchemars sont à prendre au sérieux. Écoutez votre enfant, tentez avec lui de comprendre ce que les images représentent. Mettre des mots sur les monstres leur enlève déjà du pouvoir.

Les monstres peuvent être des images du réel ou vues à la télévision et non comprises, non identifiées, ou des images déformées des ombres par les peurs ou bien des projections d'émotions inconscientes. Cherchez ce qui se passe en ce moment dans le quotidien de votre enfant, dans la vie de la famille, mais aussi dans le passé proche et, si le cauchemar se répète, dans le passé plus lointain.

Votre enfant a-t-il traversé une peur dans la journée ou dans les jours précédents ? Aurait-il eu des motifs de colère ? Un manque ? Une frustration ? Un des parents est-il absent ? Les parents se sont-ils disputés ? A-t-il été battu ? Y a-t-il un secret dans la famille, quelque chose qu'on n'a pas voulu ou pas pensé à lui dire ? A-t-il vécu des événements douloureux ? des pertes, des frustrations, des injustices, des chocs susceptibles de créer un traumatisme ? (hospitalisations, déménagements, accidents...)

Il arrive que des faits très anciens remontent ainsi à la surface des mois, voire des années plus tard. Les émotions étaient refoulées, elles attendaient un prétexte pour se réveiller, elles tentent de réapparaître dans le rêve pour se faire entendre.

Outre la verbalisation, le dessin est un excellent outil. Proposez à votre enfant de dessiner son cauchemar. Cela va lui permettre de prendre de la distance, d'avoir le sentiment de pouvoir maîtriser. Dessiner, c'est identifier, mettre des limites. Dans son dessin, l'enfant combat le sentiment d'impuissance : j'ose regarder mon cauchemar et je l'enferme sur une feuille de papier, je suis plus puissant que lui, j'ai pouvoir sur lui.

Les soirs suivants, avant de se coucher, invitez-le à dessiner tous ses soucis « pour qu'ils ne viennent pas l'embêter la nuit ». Attention, n'interprétez pas son dessin. Ne tentez pas de le « psychologiser », c'est une histoire entre lui et lui. Le dessin d'un cauchemar ne vous fera pas faire l'économie de la découverte de la cause. Cette technique est utile pour aider l'enfant dans une première approche, mais si le problème est important, ce ne sera évidemment pas suffisant pour l'en guérir. L'émotion bloquée doit être libérée.

Si votre enfant n'a pas envie de dessiner, ou pour varier la panoplie des solutions, vous pouvez lui proposer d'imaginer dans sa tête une boîte à soucis. Il la décore mentalement comme il veut. Avant de s'endormir, il met tous ses soucis de la journée dans la boîte, la ferme bien, pour ne la rouvrir que le lendemain matin.

Vous pouvez encore lui offrir une petite poupée ou une peluche, qui fera office de poupée à soucis. Le soir, il lui confie ses soucis. Elle les gardera toute la nuit. Il est bien sûr très important de rouvrir la boîte ou de reprendre ses soucis à la poupée le lendemain. Ces techniques ne marcheraient pas longtemps sinon. **Les soucis ont besoin d'être écoutés** et les solutions recherchées.

4

La répression émotionnelle

« Moi, j'ai pas peur », dit Maxime pour se faire valoir auprès de sa copine. Mais il ne s'approche pas du ver de terre qu'elle tient dans la main.

« Ça fait même pas mal », dit Alexandre à son père qui vient de lui infliger une fessée.

« Je m'excuse », dit Corinne à son petit frère en refoulant l'intense colère qu'elle ressent. Quelques minutes après, elle se cogne contre un meuble.

Maxime, Alexandre et Corinne nient leurs affects. Ils se composent un personnage qui n'est pas eux. Toute leur vie ils manqueront de sécurité intérieure parce qu'ils ne pourront faire confiance à leur ressenti interne. Comme Corinne s'est cognée à la table, ils se cogneront aux événements de leur vie.

Pourquoi Corinne s'est-elle heurtée à cette table ? C'est un processus inconscient couramment à l'œuvre dans notre quotidien. Elle a ressenti une immense blessure en étant obligée de ravaler sa véritable émotion. Pour se défendre de cette souffrance, elle a préféré s'en infliger une autre, plus physique donc plus « objective », qui lui permette d'exprimer de la douleur. Elle n'a pas eu le droit de pleurer l'humiliation ressentie quand sa mère lui a imposé de s'excuser face à son frère... elle se donne le droit de pleurer parce qu'elle s'est fait mal contre la table. Bien qu'il puisse, hélas, encore se trouver quelqu'un pour dire : « Tu ne pouvais pas faire attention ? »

Sentiments agréables ou non, pensées agréables ou non, comportements adaptés ou non, reconnaître ses émotions, c'est s'accepter comme on est, c'est construire la confiance en soi.

La conscience de soi se construit au fur et à mesure des expériences et pour autant que les émotions soient entendues, approuvées et parlées. Au contraire, quand l'environnement (parents, enseignants...) nie systématiquement les sentiments, refuse d'entendre, ridiculise les émotions... l'enfant en arrive à penser que ce qu'il ressent, pense et fait n'est pas conforme à ce que ses parents attendent.

Les parents de Maxime, d'Alexandre et de Corinne sont peut-être fiers de voir leurs enfants si courageux, si forts, si dociles, mais ils n'ont pas conscience du prix payé.

Nous avons tous des émotions. Et nous ressentons tous les mêmes émotions dans les mêmes circonstances. Tous les humains sont physiologiquement semblables. Nous nous sommes tous un jour sentis tristes, las, effarés, terrifiés, furieux, haineux, coupables, honteux, exclus, jaloux, envieux, soulagés, ou heureux... Mais comme personne ne parle jamais de ses sentiments profonds, chacun se sent seul à vivre ce qu'il vit. Chacun se pense différent des autres parce qu'il ressent des émotions que les autres ne semblent pas vivre. Il se vit mauvais d'avoir de tels sentiments, il se pense nul, méchant, insupportable... Il se juge négativement et se trouble à l'idée que les autres ne fassent de même. Il dissimule en conséquence ses affects, affiche un masque qui lui semble correspondre à ce que les autres attendent de lui. Il a sans cesse peur que quelqu'un ne découvre qu'il n'est pas celui qu'il paraît et travaille toujours davantage à sa dissimulation.

Nous avons tous des fantasmes « impies », des pensées « impures », ou plus exactement que nous définissons comme impies ou impures, parce que nos parents n'ont pas voulu avouer qu'ils avaient les mêmes.

Nous avons tous des fantasmes. Un fantasme, c'est une image mentale en rapport avec un désir, avec une émotion. Ce peut être un fantasme de toute-puissance, je vois mon ennemi attaché à un poteau pendant que je le regarde en riant... un fantasme de colère, je vois mon ennemi se blesser, tomber, souffrir... un fantasme amoureux, je vois le garçon qui me plaît venir me chercher et m'emporter sur son cheval fougueux... un fantasme de peur, je vois un monstre me courir après pour me manger... un fantasme de mépris, j'imagine que lorsque je vais prendre la parole, les autres vont me regarder d'un air condescendant et méprisant...

Qui dit ses peurs, ses rêves secrets, ses désirs ? Qui dit sa solitude ou sa frustration, sa jalousie ou même son amour et son plaisir ? Alors bien évidemment, la conclusion est simple : ce qui se passe en soi est suspect, étrange, il vaut mieux le taire.

On croit souvent que la répression des pulsions sert la vie en collectivité et que, si tout le monde « s'écoutait », on ne pourrait plus vivre ensemble. Regardons la réalité, le taux actuel de violence nous montre que la route de la répression n'est pas la bonne. Le déni, la non-prise en compte, la non-écoute des émotions, ne font que les enfermer dans une Cocotte-Minute. Quand les soupapes deviennent insuffisantes, le couvercle saute.

Il est vrai que si nous agissions nos impulsions de frapper, d'étrangler, de tuer, de torturer, chaque fois que nous en avons le fantasme, la vie deviendrait impossible. En fait, elle s'éteindrait vite. Nous nous entre-tuerions rapidement. La seule façon de ne pas tuer autrui est-elle de réprimer sa colère ? Ne pouvons-nous apprendre à reconnaître nos affects sans qu'ils ne deviennent nos maîtres ?

Freud déjà a montré que devenir conscient de ses pulsions destructrices, loin de nous rendre destructeurs, permettait de se reconstruire. L'envie de détruire, de faire mal à l'autre, n'est pas une pulsion inhérente à l'humain, c'est un mécanisme de protection contre l'émotion. Pour ne pas sentir que « j'ai » mal, je préfère tourner toute ma rage contre autrui. C'est le refoulement dans l'inconscient de l'émotion qui mène l'individu à être parfois submergé et à agir violemment.

En reconnaissant en soi ses affects, en les acceptant, en apprenant à les tolérer sans avoir peur d'être détruit par eux, en mettant des mots dessus, on peut demeurer conscient de la totalité de soi sans avoir à les vivre en actes.

Il est important de montrer à l'enfant que la reconnaissance et l'expression *verbale* de ses impulsions les plus violentes ne détruisent ni la relation, ni personne.

« Je comprends que tu sois en colère, et je t'aime tout pareil. »

Si les parents n'autorisent pas l'expression de sa colère, il la refoulera avec culpabilité et inquiétude. Si sa mère fond en larmes, il intégrera le fantasme qu'il peut détruire sa mère. S'il reçoit une raclée, il peut être terrifié à l'idée d'être détruit, surtout s'il est petit et ne fait pas encore bien la différence entre lui-même et autrui, car il perçoit alors les coups de son parent comme la continuité naturelle de sa propre colère.

Quand l'enfant (et plus tard l'adulte, s'il n'a pas résolu cette angoisse dans l'enfance) doit refouler sa rage, il peut avoir peur d'être détruit de l'intérieur par elle. Il contient la rage avec détermination, car s'il la laissait s'exprimer... il risquerait d'éclater en morceaux ! Il a peur de perdre la conscience des limites de son être, de son corps. Alors même que c'est l'expression de sa juste colère qui lui permettrait d'avoir le sentiment de son contour, d'affirmer son identité.

Quand les parents restent insensibles face à l'émotion de l'enfant, qu'ils l'envoient dans sa chambre pour pleurer ou « faire sa colère ailleurs », qu'ils ne s'occupent plus de lui, l'enfant est désespéré. Il comprend que ses émotions menacent la relation. Il n'a guère de choix. Il ne peut se permettre de briser le lien, sa survie est en jeu. Ses parents l'abritent, le nourrissent... Pour rester en relation, donc survivre, il lui faut gommer son ressenti, s'insensibiliser.

Le psychologue Harold Bessell emploie une image très parlante. « Quand on travaille avec ses mains, on voit pousser des callosités. Elles protègent les mains et leur évitent d'être couvertes d'ampoules. Lorsqu'on est blessé dans ses émotions, il se forme quelque chose qui ressemble à un cor, quelque chose qui protège les tissus contre l'irritation à venir ; mais évidemment, comme les callosités des mains, ce quelque chose n'est pas aussi sensible, ni aussi souple que la peau originale. Une personne qui serait complètement couverte de cors affectifs ne percevrait pas le monde pleinement, abondamment, ni même adéquatement[1]. »

C'est exactement ce qui se passe. Nous nous constituons des cors affectifs dans l'enfance, qui altèrent ensuite notre perception du monde et nous occasionnent nombre de problèmes. Ce sont ces cors, protections contre l'émergence des émotions de notre enfance, qui nous empêchent d'être aussi sensibles que nous le pourrions à ce que nos enfants vivent.

Pour accompagner un enfant dans la conscience de lui-même, l'adulte doit, sinon être libre de toute « callosité psychique », au moins en être conscient de façon à pouvoir se mettre à la place de l'enfant, sans se projeter en lui, à sentir ses sentiments sans les filtrer ou les interpréter.

Les pleurs, les sanglots, l'expression émotionnelle est guérissante. Le problème n'est pas de ne jamais blesser ou de ne jamais se montrer injuste envers un enfant. **La question est de le laisser « dire », de lui fournir de l'espace pour vivre émotionnellement, et se libérer des tensions occasionnées par la blessure ou l'injustice.**

---

1. Dr Harold Bessell, *Le Développement socio-affectif de l'enfant*, éd. Actualisation.

Mon bébé veut sa sucette

Les sucettes et autres tétines ont souvent pour fonction d'éviter les pleurs, elles servent le refoulement émotionnel. Quand un bébé pleure, les parents disent volontiers qu'il a besoin de sa sucette pour s'endormir, pour se calmer. En réalité, les parents ne supportent pas les cris de l'enfant, ils lui demandent donc de se taire. Ils lui mettent la sucette dans la bouche, l'empêchant de se libérer des tensions qu'il refoulera un peu plus loin, un peu plus profondément en lui.

Votre bébé ressent une émotion, reflet d'un besoin. Il tente de vous la communiquer. Vous interprétez le besoin comme étant de succion. Vous lui donnez une sucette. Vous apprenez à votre enfant à avoir besoin de quelque chose dans sa bouche dès qu'il vit une émotion. Plus tard ne risque-t-il pas d'avoir tendance à grignoter ou à se ronger les ongles à chaque fois qu'il sera ému ?

C'est le bébé idéal, il dort tout le temps

Vous n'avez jamais entendu cette phrase ? Nombre de bébés dorment pour ne pas pleurer. C'est une autre façon de ne pas sentir quand on n'en a pas l'autorisation. Dormir est une réaction de défense contre le stress.

J'ai été stupéfaite les premières fois de voir mon nourrisson sombrer dans un profond sommeil dès que j'entrais avec elle dans une galerie commerciale. Trop de bruit, trop de tension... je m'absente !

Les bébés qui pleurent dorment moins. Ils sont moins épuisés par leurs tensions, détendus par leurs sanglots, ils s'intéressent souvent davantage à leur entourage et restent plus longtemps éveillés.

Il n'exprime pas !

Mathieu ne pleure jamais. Il n'a peur de rien. Il accepte les frustrations sans piper. Dans son entourage, on dit de lui qu'il est fort, qu'il est courageux. Il satisfait l'idéal social de virilité et, surtout, il ne dérange pas les adultes ! Seulement Mathieu est tout de même une personne humaine, avec des sentiments humains. S'il ne montre rien, cela signifie seulement qu'il a déjà appris à retenir ses affects, à enterrer au fond de lui ses émois, à taire son être intérieur.

Peut-être imite-t-il l'un ou l'autre de ses parents, voire les deux. Peut-être a-t-il subi une grave injustice, un abandon, un manque qu'il n'a pas pu dire. Peut-être perçoit-il un danger à exprimer ce qu'il ressent. Peut-être ses émotions ont-elles été réprimées systématiquement depuis qu'il est minuscule ou encore la souffrance intérieure est-elle si intolérable qu'il préfère ne pas la sentir. Toujours est-il qu'il a besoin d'aide pour sortir de sa carapace, pour oser renaître à lui-même. Son déni est à la mesure de la souffrance dont il se défend.

Julien a très bien vécu la naissance de son petit frère. C'est du moins la certitude de ses parents. Il ne s'est jamais montré jaloux de Maxime. Il l'a accueilli avec plaisir, s'est beaucoup occupé de lui et, en dehors de cela, rien n'a changé dans son comportement. Les parents n'ont pas vu que Julien ne s'est tout simplement pas donné la permission de ressentir quelque jalousie que ce soit. Il pensait ne pas en avoir le droit, ne pas avoir suffisamment d'importance. En prenant un rôle de grand frère, il était reconnu, accepté.

Quand sa mère lui a annoncé son divorce et le départ de son papa, Alexandra n'a rien dit. Elle est allée dans sa chambre, a ouvert un livre et s'est mise à lire. La mère s'est sentie soulagée, avec l'impression qu'Alexandra avait bien pris la chose. Mais peut-on prendre bien l'annonce de la séparation de ses parents ? Oui, si l'un des deux se montre vraiment violent ou si les disputes sont continuelles. Dans le couple des parents d'Alexandra, ce n'était pas le cas. Malgré leurs divergences, ils avaient maintenu jusqu'au bout une image de couple uni. Selon la mère, Alexandra n'était pas censée savoir que ses parents ne s'entendaient plus.

Ce que l'on appelle communément « bien prendre les choses », c'est réprimer ses affects. Or cette répression ne peut aller sans une altération de la personne. Alexandra s'est anesthésiée. Elle n'a rien ressenti quand sa mère lui a annoncé le départ de son père, mais elle s'est juré intérieurement de ne jamais aimer pour ne pas souffrir plus tard.

Pedro se moque facilement de sa fille Amalia, elle ne rétorque rien. Elle ne se met pas en colère, parce qu'elle sait que son père ironiserait sur sa susceptibilité. Malgré les allégations de son père : « Je dis ça comme ça, ça ne porte pas à conséquence », elle a mal, les « espèce d'idiote » et autres dévalorisations résonnent dans sa tête et s'impriment comme des définitions d'elle-même.

L'émotion est saine. Sa répression est dangereuse pour la personne. Les enfants peuvent dissimuler leurs sentiments, peuvent même s'en défendre au point de ne pas les ressentir, c'est au détriment de leurs pleines capacités émotionnelles et sociales. Ils diminuent d'autant leur quotient émotionnel.

Pour se permettre de ressentir et d'exprimer leurs émotions, les enfants ont besoin d'en avoir la permission parentale. Pour être valable, la permission doit être verbale et non-verbale, c'est-à-dire se manifester dans des comportements concrets, et surtout être assortie de protection. Personne ne peut s'exprimer s'il craint d'être ridiculisé ou dévalorisé. Pour faire confiance à un adulte, l'enfant a besoin d'être sûr que ce dernier le protégera contre d'éventuelles moqueries.

Pour leur faire vraiment confiance, les enfants ont aussi besoin d'être certains de la puissance personnelle de leurs parents. La puissance n'est ni la force qui contraint, ni le contrôle ou le pouvoir, c'est un sentiment de sécurité intérieure et une aptitude à vivre leurs propres émotions. Se montrer fort, cacher ses craintes ou ses douleurs à ses enfants ne les rassure pas, mais leur transmet le message que c'est ainsi qu'il faut se comporter dans la vie. Être puissant, ce n'est pas se montrer insensible, c'est montrer que l'on n'a pas peur de ses propres émotions en les vivant.

Quand vous observez que votre enfant ne montre pas l'intensité de ses sentiments face à un événement, dites-le-lui. Aidez-le à identifier ce qu'il ressent : « Tu es furieux parce que je n'ai pas joué comme tu le désirais. »

Ses parents ont peur des émotions ? Il n'exprime pas pour ne pas les mettre dans l'embarras ? Donnez-lui la permission de ne pas les prendre en charge :

« Tu n'es pas responsable de tes parents, ni de leurs sentiments. »

« Ta mère n'exprime pas ce qu'elle ressent, tu as peur des émotions en elle. Je comprends, mais non, ne t'éloigne pas. Aide-la à sortir d'elle, ose ! »

Il boude ?

La bouderie est un langage. Elle dit qu'il y a souffrance et que cette souffrance n'étant pas entendue, l'enfant préfère s'enfermer ostensiblement en lui-même.

Évitez tout ce qui peut rendre difficile la sortie de la bouderie ; les remarques du style : « Tu boudes ! » ou « quand tu auras fini de bouder, tu viendras manger », soulignent inutilement la bouderie. Dire ou manifester par son attitude quelque chose comme : « Je ne m'intéresse pas à un enfant qui boude », c'est comme si vous lui disiez : « Je ne m'intéresse pas à ta souffrance. »

Vous pouvez :

◊ Tenter de découvrir l'émotion qu'il dissimule derrière sa bouderie. Formulez-la : « Je vois que tu t'es senti blessé quand j'ai dit à Julie que... »

« Tu es vraiment furieuse que je ne te donne pas de glace »...

Aidez-le à l'exprimer : « Tu as le droit de dire que tu n'es pas content, tu sais ! », « C'est vrai que c'est injuste, tu peux le lui dire ! »... « Tu me détestes vraiment quand je ne te donne pas ta glace ! Je comprends ça, tu sais ! »

◊ Montrer une certaine indifférence, non pas bien sûr à l'enfant, mais à son comportement de fermeture : vous continuez comme si de rien n'était. L'indifférence doit rester brève. Il n'est pas question de laisser un enfant bouder plus de quelques minutes. La bouderie s'auto-entretient et il devient de plus en plus difficile pour lui d'en sortir indemne. Au bout de quelques minutes donc, s'il est petit, allez vers lui avec tendresse : « Alors, mon amour, tu es encore malheureux ? » Prenez-le dans les bras, embrassez-le et entraînez-le naturellement dans une nouvelle activité.

S'il est plus grand, appelez-le vers une autre activité qu'il aime sans faire davantage d'allusion à sa bouderie.

N'oubliez jamais que l'enfant doit trouver une issue positive ! Ne l'obligez pas à sortir humilié de cette bouderie. L'humiliation est un véritable poison pour son psychisme.

Il est trop gentil ?

Il s'occupe merveilleusement de son petit frère ou de sa petite sœur, il n'a jamais, mais vraiment jamais, de mouvement de colère envers lui ou elle ? Il vous semble trop gentil ? Il est probablement en train de se défendre d'une jalousie qu'il perçoit comme interdite ou dangereuse par un mécanisme que les psychanalystes nomment « formation réactionnelle ». Le sentiment qu'il manifeste est une inversion du sentiment réel. Il se montre ultra-gentil pour ne pas laisser paraître sa « méchanceté ». Il ne peut reconnaître en lui ses sentiments agressifs et jaloux, il se sentirait méchant, et c'est intolérable. La gentillesse empêche le contact avec sa colère, et restaure son image de bon petit garçon.

Donnez-lui la permission d'être jaloux ou en colère. Dites-lui combien ces sentiments sont naturels et normaux. Évoquez éventuellement votre propre enfance et vos jalousies.

La jalousie non reconnue dans l'enfance altérera les relations aux autres à l'âge adulte. Regardée, acceptée, elle peut être traversée, dépassée, guérie.

Il accuse autrui ?

Assumer la responsabilité d'une bêtise, d'une erreur, lui donnerait le sentiment d'être mauvais... Il ne veut pas être perçu ainsi. Il est bon. C'est donc autrui qui est mauvais. L'enfant projette sur un frère, un copain, un ami imaginaire ou même sur vous la responsabilité de ce qu'il vient de faire, ou l'émotion qu'il ne supporte pas.

Ne le culpabilisez surtout pas. Son image est déjà trop fragile. C'est pour cela qu'il ne peut tolérer l'émotion. Aidez-le au contraire à solidifier son image de lui-même, confirmez-lui que vous l'aimez inconditionnellement, c'est-à-dire même quand il se trompe, casse un jouet, renverse sa tasse, frappe sa sœur... Vous pouvez réprouver son comportement, mais vous continuez de l'aimer, il est toujours votre fils. Rassurez-le, tout le monde sent la colère, la jalousie ou la rage parfois.

Nombre d'enfants de trois à cinq ans s'inventent des amis imaginaires auxquels ils attribuent leurs frasques. Ne les accusez pas de mensonge... Ils tentent de gérer comme ils le peuvent un afflux trop important de culpabilité. Rassurez-les sur votre amour et votre estime de sa personne. En revanche, vous pouvez demander (respectueusement) à votre enfant d'aider son ami à être attentif. Confiez-lui la maîtrise de son copain imaginaire. N'ayez aucune inquiétude, votre enfant sait que son ami n'existe pas « pour de vrai », même s'il vous affirme le contraire. Et il sait que vous savez qu'il sait...

5

Contenir sans réprimer

Porter un réel intérêt aux sentiments et aux pensées d'un enfant l'aide à être lui-même. Accompagner un enfant dans sa conscience de lui-même, c'est tout d'abord l'écouter vraiment, sans le juger, sans le conseiller, sans tenter de le diriger, simplement en lui permettant de mettre des mots sur ce qu'il vit, en l'aidant à identifier, à accepter et à comprendre ce qui se passe en lui.

Le cerveau de l'adulte est complètement mature, lui donnant la possibilité de gérer seul son émotion. Le cerveau de l'enfant n'a pas terminé son développement. Les aires frontales qui aident à se centrer sur autrui, les zones corticales supérieures qui permettent de secondariser ses émotions, c'est-à-dire de mettre des mots dessus, de leur donner du sens, sont en cours de construction. Le cerveau limbique ordonne peurs, rires ou larmes sans médiation des aires dites supérieures.

L'enfant a donc besoin de l'accompagnement de l'adulte pour ne pas être envahi et débordé par ses affects, pour canaliser son énergie, pour apprendre à

exprimer ses besoins de manière socialement accep-
table, pour savoir qu'il ne court pas de danger en se
laissant aller à ce qu'il ressent. Pas question donc de le
laisser seul avec ses émois quand il n'a pas encore les
outils mentaux pour gérer efficacement ce qu'il vit. C'est
le livrer au seul registre des défenses psychiques
archaïques comme le déni, l'annulation, le clivage, la
projection sur autrui, la formation réactionnelle... qui
sont certes des moyens efficaces de ne plus ressentir
(les cors déjà évoqués) mais au prix d'une altération du
contact avec la réalité.

Plutôt que de laisser nos enfants seuls aux prises
avec leurs monstres intérieurs, nous pouvons être là.
Les parents ont la responsabilité de la sécurité affective
des enfants.

Martin vous tape et vous dit : « Je ne t'aime plus ! »
Si vous vous sentez blessé, et si vous écoutez alors votre
blessure plutôt que de rester à entendre la sienne, si
vous lui répondez : « Moi non plus je ne t'aime plus »
ou encore : « Va dans ta chambre, tu reviendras quand
tu seras calmé », Martin se sentira terriblement abandonné. Il avait besoin de vous, vous le montrait en vous
tapant, car taper c'est chercher le contact, il vous le hurlait en mettant en jeu son amour pour vous... et vous le
rejetez ?

Un enfant est un enfant, il ne sait pas encore bien
dire les choses. Le rôle du parent est justement de l'aider à mettre les mots adéquats et non d'entrer dans une
compétition émotionnelle. L'adulte peut contrôler ses
impulsions. Il est naturel que les émotions des enfants
soient prioritaires sur celles de leurs parents !

Bien sûr, au fur et à mesure que l'enfant grandit, le

parent se retire. Mais s'il a été absent trop tôt, l'enfant n'a pas pu apprendre et reste démuni, livré à ses mécanismes défensifs de contrôle de l'angoisse.

Pour mieux comprendre ce qui se passe, penchons-nous sur le nourrisson. Très petit, il n'a encore aucune conscience de lui-même en tant que sujet séparé de sa mère. Nous, adultes, savons que nous *avons* mal, nous existons en dehors de notre douleur. Le nourrisson, lui, *est* mal. Il est tout entier envahi par la détresse et a terriblement besoin d'une intervention de sa maman. Il a besoin de sa présence, de sa parole, de son amour, de son enveloppe ! Comme ses limites corporelles et psychiques sont encore floues, le contact enveloppant de sa mère lui permet de contenir ses affects et de se sentir rassuré.

Les enfants sont dans l'instant présent. Ils n'ont pas encore développé la capacité de se projeter dans le futur, l'intensité de ce qu'ils vivent en est majorée. Ils ne « savent » pas que leur douleur passera, que la colère va se terminer, qu'ils pourront retrouver leurs sensations de confort de nouveau. Petits, ils sont envahis par l'émotion. Nous, adultes, savons que le présent passe.

L'enfant a besoin de sentir la solidité de ses parents lorsqu'il vit une émotion et il a besoin de les voir eux aussi traverser des émotions, même fortes, sans être détruits.

Qu'en pensez-vous ? Doit-on prendre dans ses bras un bébé qui pleure ou risque-t-on de le « pourrir » ?

Doit-on accourir au moindre pleur ?

Un nouveau-né pleure. Il a faim. Sa mère répond dans les quatre-vingt-dix secondes, le bébé se calme en cinq secondes. Si sa mère ne répond qu'au bout de trois minutes, le nourrisson met cinquante secondes à se calmer.

Quand vous multipliez par deux le temps d'intervention, vous multipliez par dix la durée des pleurs de l'enfant.

Plus vous attendez, plus il est difficile pour lui de se réorganiser à l'intérieur de lui.

Que se passe-t-il pour le nourrisson si personne ne vient alors qu'il pleure ? Il n'a pas la capacité de se dire « ça va passer ». Il *est* totalement douleur. Il ne peut se dire que sa maman va venir « tout à l'heure » quand elle aura fini de faire la vaisselle, de téléphoner, de s'occuper d'autre chose. Il *est* mal... personne ne vient. Cette mère qui devrait le secourir, le protéger, ne le fait pas. Elle est donc capable de lui faire du mal ! Elle est dangereuse, il ne peut plus lui faire confiance. C'est impossible, comment peut-on retirer sa confiance à sa maman ? À celle dont il dépend pour sa survie ? Alors le tout-petit conserve sa confiance en sa mère, et préfère altérer sa perception interne, annuler sa souffrance, ses émotions, ce sont elles qui sont dangereuses ! Sa dépendance à sa mère augmente, puisqu'il a perdu ses repères internes, elle reste celle qui sait ce dont il a besoin et quand.

En revanche, si les parents manifestent à leur enfant de l'amour, quelles que soient ses émotions, il apprend qu'elles ne sont pas dangereuses. Il est prêt à les écouter pour savoir ce qu'elles disent, parce que ses parents sont prêts à les entendre. C'est ce qui permettra peu à peu à l'enfant de constituer un sentiment de sa permanence. Qu'il soit triste, joyeux ou en colère, il reste le même petit garçon ou la même petite fille.

Que faire ?

Lorsqu'un enfant éprouve une émotion, votre question est « **Comment puis-je l'aider à avoir conscience de ce qui se passe en lui ?** »

Pour un nouveau-né, intervenez le plus vite possible. Cherchez à identifier son besoin et donnez-lui satisfaction. Il sait s'il a faim mieux que votre médecin ou votre horloge. Accompagnez-le dans l'expression de ses affects. Si tous ses besoins physiologiques semblent satisfaits, il s'agit alors d'un besoin psychologique. Restez à l'écoute dans votre cœur. Laissez-le vous confier sa plainte, sa protestation, sa détresse.

Plus l'enfant grandit, plus il est autonome dans la gestion de ses émotions. Vous pouvez prendre quelques instants avant de vous précipiter pour observer comment il se débrouille avec ce qu'il vit. S'il ne vous demande rien, faites-lui confiance.

Laissez-lui de l'espace pour exprimer. Nous avons tendance à « consoler », moi la première. Je me retiens. Quand un de mes enfants pleure, je tente de l'écouter **avant** de le consoler : « Je vois que tu as mal ! » S'il s'est fait très mal, je vais même l'encourager à pleurer : « Pleure mon amour, pleure fort, serre-moi et pleure, tu as mal ! »

La question « Pourquoi » est à éviter absolument. « Pourquoi tu pleures ? » peut être vécu comme culpabilisant ou dévalorisant, cela peut sous-entendre qu'il n'y a pas de raison. Et puis, la question invite à réfléchir. Or l'enfant n'en est pas là. Il a besoin d'exprimer son émotion avant de pouvoir en parler. De plus, sachant *pourquoi* il pleure nous serions tentés de résoudre son problème, de lui proposer des solutions ! Il n'a pas besoin de cela. Il est probablement capable de faire face seul à son problème, **il a juste besoin que son émotion soit entendue.**

En lieu et place de ce « pourquoi », tentez « qu'est-ce qui se passe ? » ou « qu'est-ce que tu ressens ? » qui accompagnent le vécu intérieur.

L'écoute empathique

L'écoute empathique consiste à refléter ce que vous entendez dans ce que vient de dire l'enfant, en retenant les aspects signifiants, c'est-à-dire l'émotion, le sentiment ou le désir. Il ne s'agit pas tant d'écouter les mots que d'entendre ce qui les sous-tend.

Centrez-vous sur le mouvement intérieur de l'enfant plutôt que sur les faits. Accompagnez votre enfant et non les événements extérieurs.

À la phrase :

« Je n'ai pas envie de dormir ! »

répondez :

« Tu n'as pas envie du tout ! »

plutôt que :

« Il faut bien que tu dormes pour être en forme demain. »

Vous pouvez continuer par quelque chose comme :

« Tu as le droit de ne pas avoir envie, c'est vrai, tu préférerais continuer à jouer, je peux comprendre ça. » (Tout en continuant à le coucher...)

Vous n'y croyez pas ? Faites donc l'expérience. Si vous êtes déjà dans un jeu de pouvoir avec vos enfants, il est probable que, les premiers jours, Martin ou Amélie résisteront. Est-ce vraiment si dramatique s'ils dorment un peu plus tard ? L'apprentissage du respect de ses propres rythmes vaut bien quelques entorses à la régularité des heures du coucher. Quand ils auront compris que vous respectez leurs sentiments sans entrer dans un jeu de pouvoir, ils accepteront de ressentir leur fatigue, et se coucheront plus facilement à l'heure bonne pour eux. Nous pouvons souvent faire confiance à nos enfants pour savoir ce qui est bon pour eux, sauf si nous sommes avec eux dans un rapport de force.

Attention, dans vos reformulations, votre attitude intérieure est plus importante que les mots que vous employez. Une phrase absolument parfaite sur le plan syntaxique et détectant avec précision le vécu de l'enfant peut être totalement inefficace. Il s'agit de COMPATIR, de montrer une écoute EMPATHIQUE ! C'est-à-dire écouter la résonance émotionnelle dans ce que l'enfant dit, vous mettre un instant à sa place, sentir ce qu'il ressent, écouter de l'intérieur ce qu'il est en train de vivre.

« Maman, est-ce que je vais au foot, ou est-ce que je travaille ? »

« Tu hésites. Qu'est-ce que tu sens ? »

« J'ai pas envie d'aller au contrôle de maths. »

« Tu es inquiet... »

En reformulant, vous ne jugez pas, vous ne commentez pas, vous n'intervenez pas, vous accueillez simplement le sentiment de l'enfant. Il se sent alors reconnu, validé. Il acquiert le sentiment qu'il a le droit de sentir par lui-même, d'exprimer, et qu'il peut faire confiance à son ressenti.

Vous ne pouvez imaginer le bien que cette attitude apportera à vous, à lui, à votre relation.

Soyez attentif toutefois à respecter son jardin secret. Il est inutile de chercher à obtenir à tout prix une confidence. Il est important de ne pas forcer la parole. En toutes choses, l'excès est mauvais.

Être à l'écoute systématiquement et en permanence risque d'avoir l'effet inverse et de rendre vos enfants dépendants ou agressifs pour se défendre de cette intrusion permanente. Vous pouvez faire confiance à vos enfants. Votre rôle n'est pas de résoudre leurs problèmes ou d'aplanir les difficultés de leur route, mais de leur fournir des ressources, ou plutôt de les aider à construire la confiance en leur capacité à trouver des ressources en toutes circonstances.

Ne tombez pas non plus dans la « lecture de pensée » ou l'interprétation. Par un mécanisme de projection, de contamination par nos propres émotions, nous pouvons parfois nous mettre à penser à la place de l'enfant. Le décodage de l'émotion doit rester très respectueux des nuances vécues par lui. Interpréter en fonction de nous, penser à sa place, ce serait à nouveau l'enfermer dans une définition et ne pas l'écouter.

En conclusion, pour accompagner les émotions d'un enfant, comme en fait de toute personne, faites simplement preuve de compassion. Mettez-vous à sa place, tentez de ressentir ce que vous ressentiriez dans la même position et dans les mêmes circonstances. Rien de ce qui est humain n'est étranger à l'humain. Vous avez été enfant, vous aussi. Vous pouvez comprendre ce qui se passe en lui.

Soyez attentif à ne pas « psychologiser » à outrance. La verbalisation n'est pas toujours nécessaire, elle n'est pas suffisante non plus. La réponse par le contact physique, le câlin, la satisfaction du besoin, est fondamentale. Il ne s'agit pas d'expliquer en permanence les comportements de l'enfant, mais de l'aider à mettre des mots quand cela est nécessaire, c'est-à-dire pour l'aider à sortir d'une situation coincée ou pour accompagner un événement douloureux.

Les étapes de l'accompagnement émotionnel

1. Accueillir non verbalement par le regard. Être présent dans votre respiration, dans votre attitude intérieure.

Éventuellement, selon l'âge de l'enfant, le prendre dans les bras.

2. Mettre des mots sur le ressenti :

« Je vois que tu es en colère ! Oh, tu es triste ! Tu as eu peur ! »

3. Permettre à l'émotion d'aller jusqu'à sa résolution.

4. Quand la respiration de l'enfant est redevenue calme, place à la parole.

Bien sûr, cette écoute empathique risque de vous mettre en contact avec vos propres émotions, de réveiller les manques, les détresses de votre propre passé...

Il est difficile de respecter la colère d'un enfant quand on ne sait pas soi-même se mettre en colère de manière saine. Il est quasiment impossible de prendre un enfant dans les bras pour l'accompagner dans la traversée d'une tristesse si cette dernière nous rappelle trop fort un désespoir jamais entendu par nos parents...

Or si vos enfants ne peuvent se confier dans leur vérité, ils finiront par se détourner, voire par couper les ponts avec vous. À moins que leurs ailes n'aient été si abîmées, qu'ils ne restent à vie dépendants de vous !

Tant de parents ne comprennent pas pourquoi leurs enfants devenus adultes cessent d'aller les voir alors qu'ils ont « tout fait pour eux ». Ils ont seulement oublié de les respecter dans leurs affects.

6

« Il m'énerve avec ses jérémiades ! »

Parfois les émotions de vos chéris vous exaspèrent. Plusieurs hypothèses sont possibles :

1. Vous êtes tout simplement épuisé et une émotion, c'est bruyant.

2. Vous avez vos propres émotions et besoins, que vous ne reconnaissez pas, et vous vous sentez en compétition avec l'enfant.

3. L'émotion qu'il exprime n'est pas juste, c'est une manifestation écran dissimulant le véritable sentiment.

4. C'est une émotion que vous ne vous permettez pas.

5. Cela vous rappelle votre propre enfance.

Trop, c'est trop

Quand un petit enfant pleure « pour un rien », il est probablement fatigué. Pour les adultes, c'est pareil : quand des parents se mettent en colère « pour un rien » (ils choisissent plus volontiers cette manifestation que les pleurs), ils sont peut-être tout simplement fatigués !

Trop de parents refusent de reconnaître qu'ils sont épuisés. Ils veulent donner encore et encore, faire la vaisselle et laver le linge, lire une histoire et jouer aux Barbie, être de « bons parents ». Tôt ou tard ils éclatent, et une assiette renversée ou un slip qui traîne déclenchent leurs foudres.

Reconnaître sa fatigue et la formuler aux enfants peut leur permettre d'identifier la véritable cause de votre courroux. **Ils ne sont pas « insupportables », mais vos limites sont atteintes.** Votre tolérance au bruit et au chaos est moindre, vous avez besoin de calme et de repos.

Quand une émotion en cache une autre

Vous êtes exaspéré(e) quand Marthe fond en sanglots alors que sa jupe la serre trop, quand Olivier est terrifié par le chien inoffensif de sa grand-mère, quand Pierre se met en colère contre son frère pour une broutille ?

Écoutez votre intuition. Vous réagissez à une distorsion. La véritable émotion de Marthe était la colère. La peur d'Olivier dissimule une autre peur, celle de quitter sa maman pendant quelques jours. Il est inquiet à l'idée qu'elle ne revienne pas, et n'ose dire qu'il n'est pas d'accord. Pierre a peur pour son contrôle de maths. Votre énervement vous indique que l'émotion montrée en cache une autre. Il y a une autre blessure, un autre problème, un autre manque probablement plus crucial à écouter.

Quand les émotions ne peuvent se dire dans leur authenticité, elles se déguisent, se déplacent sur des objets de substitution (un chien, un escargot, les maths...), se remplacent les unes aux autres. Elles dissimulent la vérité et cachent le véritable besoin, indicible.

Fais comme moi...

Comment supporter que votre fille hurle sa rage quand vous ne vous êtes jamais autorisé même à dire non à votre propre mère ? Comment accepter que votre fils pleure alors que vous-même n'avez jamais versé une larme ?

Un père qui ne montre pas ses émotions attendra volontiers de ses fils qu'ils soient « forts » comme lui. Une mère qui n'exprime pas ce qu'elle éprouve aura du mal à gérer les cris de ses filles...

Vous interdisez une émotion à vos enfants ? Elle vous a été interdite par vos parents, ou vous l'avez refoulée parce qu'elle vous paraissait trop dangereuse... Accepter de l'entendre de votre fils ou de votre fille irait à l'encontre de décisions inconscientes prises dans votre petite enfance... Cela vous obligerait à remettre en cause l'éducation reçue de vos parents... Vous ne voulez pas entendre votre enfant pour protéger l'image de vos parents.

Il n'a pas le droit d'être en colère, c'est vous qui l'êtes !

Il voulait ses nouilles avec de la sauce tomate, vous avez mis du beurre... Il hurle. Votre adolescent récrimine contre son professeur d'histoire-géo, votre fille hurle contre son frère qui met la sono à fond... D'ordinaire vous êtes patient(e), mais aujourd'hui, NON. Vous tempêtez, vous êtes hors de vous.

Pour une raison X, vous êtes en colère. Vous râlez intérieurement contre votre mari qui lit tranquillement son journal et vous laisse tout sur les bras ! contre votre femme qui n'en fait qu'à sa tête, contre votre patron, contre le plombier, contre votre mère... et votre enfant pique une rage ? C'est la goutte d'eau qui fait déborder le vase. Vous projetez votre colère sur ce coupable !

Ses nouilles ne lui plaisent pas ? Vos motifs sont autrement plus importants qu'une histoire de sauce tomate, de devoir de géo, ou de sono !

Il est étrange de constater combien nos propres émotions peuvent nous rester inconnues. Elles se manifestent cependant dans cette exaspération hors de propos vis-à-vis de nos enfants. Il faut dire que, souvent, ces derniers nous excitent... Est-ce un hasard s'ils sont particulièrement énervés le jour où il ne faut pas nous chatouiller ? À croire qu'ils cherchent les explosions. Oui. Les enfants sont extrêmement sensibles à ce que vivent leurs parents. Par une sorte de télépathie, ils captent les émotions non dites, les tensions. Insécurisés, ils réagissent par des comportements qui vont provoquer l'exaspération des tensions de papa ou maman, jusqu'à leur libération.

« On dirait qu'ils me poussent à leur hurler dessus ! » s'étonne Valérie.

Plus le parent est inconscient de ses propres émotions, plus ses enfants les prennent en charge, tentent de les exprimer à sa place et le poussent à bout.

Vous vous sentez excessivement énervé par un désir ou un comportement de votre enfant ? Vous êtes incapable d'entendre les pleurs de votre bébé, les rages du grand fils, ou le désespoir de votre fille aînée ? Vous les insultez sans pouvoir vous retenir ?

Posez-vous ces questions : Quelle raison pourrais-je avoir en ce moment de me sentir en colère ? Y a-t-il dans ma vie un manque, une frustration, un sentiment d'impuissance ? Ai-je été blessé ? Ai-je un problème que je ne sais pas résoudre ?

« Quand il fait cela, je deviens violent »

C'est lorsque Paul ou Arielle nous rappellent notre propre enfance que nous avons le plus de mal à garder le contrôle de nous-mêmes.

« Tu manges ta soupe. » Martine tempête. Rémy repousse le bol qui valse, la soupe est projetée partout dans la cuisine et sur la mère qui éclate. Elle le prend brutalement par le bras, lui inflige une fessée et le traite de « méchant » et de « vilain garçon ».

« J'ai senti la violence de ma propre mère m'envahir », me confiera Martine après.

Que s'est-il passé ? Son fils d'ordinaire mange sans difficulté. Ce jour-là, Martine était stressée. Rémy a senti son stress, et... comme tous les enfants s'est mis au service de ses besoins émotionnels. Il lui a donné l'occasion de sortir sa rage, de se « défouler ».

Martine a bien senti qu'elle était envahie par une fureur qui la dépassait. Elle revivait la violence de sa mère, mais cette fois de l'autre côté de la barrière. Enfant, elle avait le rôle de la victime. Adulte, elle prenait celui du persécuteur, son petit Rémy assumant celui de la victime. La mère de Martine ne tolérait pas que sa fille n'obtempère pas à ses injonctions. Elle devenait violente et frappait.

Paula a un fils de deux ans et demi. Au bout de quelques minutes au square, elle en a déjà assez, elle y reste pourtant tous les jeudis après-midi, culpabilisée de ne pas y prendre de plaisir. Elle a pris un jour de congé par semaine pour être avec son fils, et lui consacre toutes ses soirées et week-ends. Elle cherche à passer d'autant plus de temps avec lui qu'elle est en colère contre elle-même de s'ennuyer ainsi avec lui.

Pourquoi s'ennuie-t-elle avec son fils ? L'ennui signifie que Paula réprime des émotions, elle met sur ses sentiments le couvercle de l'ennui pour ne pas les ressentir (voir *L'Intelligence du cœur*). Quelle peut être la nature de ces affects refoulés et d'où viennent-ils ?

Les parents de Paula n'ont jamais joué avec elle. Elle n'a pas de souvenir d'intimité joyeuse ni avec son père ni avec sa mère. Elle refuse cependant de regarder combien elle en a souffert. Elle se dit que c'était comme ça... Du fait du déni de ses émotions de petite fille, elle se trouve incapable de jouer et de rire avec son petit garçon.

Pour compenser, elle fait tout pour lui, pour lui faire plaisir, pour son bien. Elle l'entraîne au square, sur les manèges, sur les poneys... Elle réprime ses émotions, refuse d'entendre sa propre frustration. Quand elle rentre chez elle... sa rage inconsciente la guide vers un acte de destruction. Sans y penser, elle met le pull en cachemire dans la machine à laver. Quand il sort rétréci et feutré, elle se sent coupable. C'est sa façon à elle de retourner contre elle-même son agressivité et de s'autoriser à ressentir la culpabilité.

Toute mère, tout père, revit sa propre enfance à travers ses enfants. De là naissent toutes sortes de problèmes. Projections de son propre vécu, réactualisation de sentiments douloureux enfouis, résurgence de pulsions haineuses de l'enfance, jalousies, non-dits, secrets de famille, souvenirs d'humiliations ou de frustrations, sentiments de honte, de culpabilité, tout ce passé est là, inconscient le plus souvent, et nous empêche de réagir de manière appropriée vis-à-vis de nos enfants.

Quand ce passé n'est pas guéri, le parent reproduit de manière automatique, voire compulsionnelle, le comportement de ses propres parents à son égard.

La répétition des comportements abusifs et violents de nos parents envers nos enfants a pour but d'enfermer la douleur plus loin encore en soi, de la nier... Je fais comme ma mère parce que ça m'a fait du bien, ça ne m'a pas fait mal. Le mécanisme est complexe. S'identifier au parent abusif est à la fois une tentative inconsciente de comprendre ce qui se passait en lui et un moyen de se venger sur autrui de la souffrance subie, de permettre à l'intense rage réprimée de s'exprimer enfin. La vengeance s'exerce sur une personne de substitution, son propre enfant, ou toute autre personne vulnérable et dépendante de soi. Comme ce n'est pas le vrai coupable, cette vengeance est insatiable.

Lorsque, conscient d'avoir été traumatisé, il s'exerce à faire l'inverse, le parent désolé et impuissant constate souvent que malgré lui les mêmes effets semblent se produire. L'opposé n'est jamais que l'autre face de la même carte. Faire « le contraire » de ses parents, c'est continuer d'agir en fonction d'eux, et ne toujours pas voir son enfant.

Guérir sa propre enfance

Une seule voie pour écouter vraiment son enfant : guérir sa propre enfance. Pour nous libérer du passé, nous avons, nous aussi, besoin de lâcher nos émotions. Nos parents n'ont pas su être attentifs à nos besoins émotionnels, écouter nos peurs et nos colères. Les blessures infligées sont restées marquées parce que nous n'avons pas pu les pleurer. Nous n'avons peut-être même pas pu identifier ce qu'ils nous faisaient comme des blessures ou des injustices, tant ils nous assuraient que c'était « pour notre bien ». Aucun témoin ne s'est trouvé là pour rétablir la vérité. Nous avons enfoui nos tensions. Elles ressortent aujourd'hui face à nos enfants.

Pour guérir, il s'agit de regarder la réalité de sa propre enfance. Cesser d'idéaliser ses parents et oser voir qu'ils ont pu nous faire mal ou se montrer injustes. Se souvenir. Se donner le droit de sentir les émotions auxquelles, enfant, nous n'avons peut-être même pas eu accès.

Quand vous aurez exprimé de la colère contre les injustices subies, quand vous aurez pleuré avec compassion sur l'enfant en vous, vous pourrez écouter votre enfant dans sa vérité.

Il éveille en vous un sentiment insoutenable ? Un nœud est là. Vous pouvez l'affronter. Regardez simplement les souvenirs remonter. Écoutez l'enfant en vous, donnez-lui ce qu'il n'a jamais reçu, de l'attention à ses sentiments. Retrouvez des images du petit garçon ou de la petite fille que vous étiez, et ouvrez-lui un espace dans votre cœur.

En esprit, vous, l'adulte d'aujourd'hui, imaginez que vous allez retrouver cet enfant que vous étiez. Imaginez une rencontre entre le vous d'hier et le vous d'aujourd'hui. L'adulte s'assied auprès de l'enfant et l'écoute, le câline. Il le comprend et il l'aime.

Pour vous aider dans ce travail vous pouvez vous faire accompagner par un psychothérapeute ou écouter une cassette de relaxation guidée qui vous aidera à faire remonter les souvenirs et à les guérir[1].

---

1. Cassette *Trouver son propre chemin*, volume 1, face 1. En vente dans quelques librairies spécialisées ou par correspondance chez Isabelle Filliozat.

IV

LA PEUR

Au départ de la grande roue, une petite fille de huit ans pleure.

« Je ne veux pas y aller, j'ai peur !

— Il n'y a aucun danger. Allons, ne sois pas une poule mouillée, tu ne vas pas nous gâcher la journée ! »

La petite fille redouble de sanglots. Un homme dans la file intervient : « Elle a le droit d'avoir peur. Ce n'est pas la peine de gâcher votre plaisir, allez-y et laissez-la vous attendre. »

La petite fille esquisse un grand sourire. Elle a été entendue ! Le reste de la famille monte dans la nacelle... Elle reste au sol à les regarder, et se trouve une petite copine pour discuter. Elle est radieuse.

Forcer à affronter est inutile, et renforce en général les peurs. Aider quelqu'un, enfant ou adulte, à dépasser une peur nécessite du temps, le temps que la peur laisse place au désir. Quand la décision d'affronter vient de vous, l'enfant le fait par dépendance et non par choix, il ne mobilise pas ses propres ressources, il ne se sent pas responsable. Être dépendant augmente la peur.

1

Doit-on écouter ses peurs ?

Sur la plage, Thomas, deux ans, est tétanisé. Il refuse d'entrer dans l'eau, même avec la jolie bouée canard. Son papa a aussi investi dans un superbe bateau gonflable, mais Thomas hurle quand il tente de l'installer dedans.

Les parents, ravis à l'idée de patauger avec leur chérubin, achètent de beaux jouets multicolores et aux formes attractives... et lui reste terrorisé à l'idée de tremper le bout du pied dans l'eau ou de s'installer sur cet objet instable. Les petits ont bien du mal à comprendre les raisons qui poussent leurs géniteurs à vouloir à tout prix les mettre dans une situation aussi inconfortable.

Quelle frustration pour le parent ! Une vexation pour certains. Ils ne supportent pas que leur progéniture ne soit pas à la hauteur de leurs espérances et en deviennent agressifs. Ils ne comprennent pas : « L'année dernière, il adorait l'eau ! » et jettent des regards envieux sur ceux dont les enfants sautent, plongent, et s'éclaboussent avec délices.

Quelques parents, ne mesurant pas l'importance des craintes de leur enfant, et les jugeant déplacées, le jettent à l'eau malgré ses hurlements.

Pourquoi ne pas prendre le temps ? Pourquoi ne pas laisser l'enfant apprivoiser à son rythme ce drôle d'élément qu'est l'eau ? Pour montrer aux autres parents que l'héritier sait déjà nager ? Pour ne pas être le père d'une « poule mouillée » ?

Brusquer un enfant n'est pas une méthode efficace pour l'aider à dépasser ses peurs et peut avoir des conséquences lourdes à long terme.

« Mon fils ? Il n'a peur de rien. » Un enfant qui nie toute peur a en fait tellement peur... de sa peur, qu'il préfère ne pas la ressentir. Il la refoule dans les profondeurs de son inconscient. Elle ressortira tôt ou tard dans sa vie, plus ou moins déguisée ou déplacée. Il est naturel et normal qu'un enfant ait peur et il est important que nous, adultes, ne les incitions pas à un « courage » excessif.

Alain se ronge les ongles. La nuit, il sursaute dans son lit et ronfle. Mais pour lui ce n'est pas de l'angoisse. Il pense simplement qu'il est ainsi. La peur lui est étrangère. Il prend beaucoup de risques dans sa vie. Il apprécie sports dangereux, voyages à l'aventure dans des pays en guerre, et films à suspense. Bref, il flirte avec la peur... mais ne la ressent pas. Dans la plupart des situations qui intimident les autres, lui est à l'aise. Mais il se ronge les ongles ! Quand à quarante ans il se met à rechercher en thérapie ce qui peut bien motiver ce comportement, il découvre... de l'angoisse. Une angoisse qui le surprend. Cela ne cadre pas avec son image. Acceptant de reconnaître cette vérité nouvelle, il se souvient de l'absence d'attention de ses parents, de sa détresse devant le manque de dialogue, et de son immense solitude de petit garçon. Stupéfait par l'intensité de la terreur qui l'envahit, il prend conscience. Il avait tant de crainte en lui qu'il avait préféré ne pas la ressentir. Toute peur effacée, il lui fallait, pour se sentir exister, d'une part chercher des sensations et, d'autre part, tester sans cesse ses capacités de contrôle en se confrontant à la peur. C'est la crainte enfouie profondément dans l'inconscient qui l'appelait à travers les dangers.

Après s'être permis d'éprouver et surtout d'exprimer cette terreur d'enfant restée en lui depuis si longtemps, il est manifestement libéré. Au grand soulagement de sa femme, sa respiration nocturne est plus calme, il ne fait plus de bonds en dormant, et ses ronflements, témoins de l'effort de répression émotionnelle, ont notablement diminué.

Les enfants dont on méprise systématiquement la peur ne deviennent pas des adultes ouverts et courageux. Ils peuvent certes nier toute crainte et devenir téméraires. Ils auront alors tendance à prendre des risques de plus en plus grands pour enfin éprouver quelque chose, et tester leurs capacités de contrôle et de maîtrise d'eux-mêmes.

Mais ils peuvent aussi rester effacés toute leur vie, s'abonnant au Témesta ou à d'autres drogues moins licites pour juguler une angoisse qui n'a pas le droit d'être dite et qui donc a bien du mal à être dépassée.

Ils peuvent enfin avoir du mal à s'abandonner dans une relation, à vivre l'intimité. Comment faire confiance ? Leurs propres parents se sont montrés insensibles. Toute dépendance à autrui devient dangereuse. Comment oser encore aimer ?

D'autres encore, et surtout si la colère leur est interdite, se défendent en construisant une réaction phobique. Ils limitent la peur, la focalisent sur un objet. Celui-ci peut être le déclencheur originel, l'eau dans laquelle ils ont été jetés, le cabinet noir ou la cave dont ils ont été menacés, voire dans lesquels ils ont été enfermés. Il peut être déplacé sur autre chose, un ascenseur, un moyen de transport, un chat, une araignée, un serpent...

Peur courtisée, niée, étouffée par la drogue, projetée à l'extérieur, ou envahissante, de toute façon ces enfants dont on aura nié les émois auront un rapport perturbé à l'émotion de peur.

Or, **une peur a une raison d'être, même si cette dernière est obscure pour l'adulte.** Une peur est à respecter, à écouter, à accueillir. Quelqu'un de courageux n'est pas quelqu'un qui ne ressent pas la peur, mais quelqu'un qui la vit en lui, la reconnaît, l'accepte, en tire les enseignements qu'elle lui apporte. Ne pas éprouver de peur est dangereux. Fondamentalement, c'est une émotion extrêmement saine. Elle nous informe sur la présence d'un danger, elle mobilise notre corps pour y faire face, elle nous apprend à nous préparer devant l'inconnu. Elle est naturelle. Elle est à traverser, à utiliser.

Cela dit, il y a aussi des peurs disproportionnées, décalées, inhibantes, paralysantes, celles-là sont effectivement inutiles. Toutefois, elles sont à entendre comme des messages. Elles disent quelque chose de votre enfant, ou votre enfant tente de vous dire quelque chose à travers elles.

Il y a des peurs saines, il y a des peurs démesurées, déplacées. Il y a des peurs à traverser, d'autres à dépasser, toutes sont à respecter, à accompagner.

2

Les peurs les plus fréquentes

Il y a différentes peurs typiques que traversent plus ou moins tous les humains au cours de leur enfance. En vrac : peur de tomber, des bruits forts, des visages inconnus, de la séparation, du bain, de l'eau dans les yeux, du noir, des animaux, des loups, fantômes, sorcières et autres dragons... Les peurs apparaissent et disparaissent. Elles reflètent les étapes de la maturation du psychisme de l'enfant. Normales à certains âges, elles ne deviennent problématiques que si elles prennent trop d'ampleur et gênent l'enfant dans sa vie, et/ou si elles s'installent dans la durée.

Explorons ensemble quelques peurs parmi les plus communes [1].

Les bruits forts

Un bruit fort nous fait sursauter. Chez un petit enfant, il peut déclencher une vraie panique. Cela me

---

1. La séparation sera traitée au chapitre IX·2, p. 266.

paraît appartenir aux réflexes de protection de l'espèce. Le bruit est l'expression d'un danger potentiel, la fuite est tout indiquée... mais le nourrisson ne peut fuir tout seul, il hurle.

Lucie a vingt mois. Il y a des travaux dans la maison mitoyenne. Brusquement le bruit commence, assourdissant ! On dirait un marteau-piqueur, le mur tremble. Le bruit déclenche une véritable terreur chez la petite fille, qui hurle, se débat, sanglote.

La maman prend son enfant dans les bras, s'éloigne très vite avec elle de la source du bruit. Plus au calme, elle accueille l'intense émotion de sa fille en la serrant contre son cœur. Tendrement, elle la laisse sangloter tout son soûl. Harmonisant sa respiration sur celle de l'enfant, elle lui parle doucement à l'oreille :

« Tu as eu peur, il était fort ce bruit, moi aussi il m'a fait peur (c'était vrai !). Ça fait peur quand on s'y attend pas, tout d'un coup "brououou !" On se demande ce que c'est. Tu as une idée de ce qui fait ce bruit ?

— Non, a répondu la petite fille entre deux hoquets.

— Tu veux voir ce que c'est ?

— Non. »

La maman a été un peu vite. Lucie a encore bien trop peur pour pouvoir affronter la source de ce bruit. Alors, sa maman lui parle des travaux, lui explique ce que les ouvriers sont en train de faire, le pourquoi des vibrations même s'ils ne touchent pas leur maison.

Comme les travaux doivent durer quelque quinze jours, et qu'il n'est pas possible d'être toujours au square ou ailleurs pendant la journée, il est important de doter Lucie de ressources pour faire face à ce stress.

Elle et sa maman s'exercent à hurler à l'adresse du mur derrière lequel les ouvriers travaillent : « Arrête ce bruit, ça me dérange ! » Bien entendu cela ne change rien au bruit, mais cela change le vécu de Lucie. **Exprimer de la colère, affirmer sa propre puissance, diminue la crainte.**

Pendant près d'un mois après la fin des travaux, Lucie est restée attentive à tout bruit. Un chien aboie au loin ? Elle dit : « Un chien qui m'a fait peur. » Cette phrase n'attendait pas de réponse, juste un accueil : « Tu as peur du bruit. » **Évoquer le souvenir du bruit et de la peur, en reparler autant que de besoin, permet de se reconstruire, de se rassurer.** Lucie apprend à gérer son émotion.

Peur de dormir

À travers les volets, des rais de lumière entrent dans la chambre et font des taches sur le papier peint. Le lampadaire de la rue éclaire les arbres. Le vent secoue les branches. Ces ombres mouvantes peuvent devenir terrifiantes pour un enfant qui ne sait pas de quoi il s'agit. Le papa prend son petit garçon dans les bras, ouvre les volets, regarde longuement avec lui les branches osciller sous le vent devant le lampadaire. Puis ils referment les volets et observent les ombres. Le papa se couche quelques minutes auprès de l'enfant qui se rendort.

Pour dormir, on a besoin de se sentir en sécurité. Aller voir l'enfant quand il appelle lui donne de la sécurité. L'enfant sait alors qu'il peut compter sur ses parents. Une petite veilleuse peut rester allumée pour qu'il se repère plus facilement dans l'espace et perçoive mieux les contours réels des objets s'il se réveille au milieu de la nuit, mais elle ne remplace pas la présence du parent.

Dormir, c'est aussi lâcher le contrôle, se laisser aller, entrer dans un autre monde, rêver ou peut-être risquer de faire un cauchemar... On aime y être accompagné.

Après l'histoire, un massage aide au sentiment de sécurité et assure une bonne nuit. Être touché, caressé, donne l'impression d'être contenu. C'est rassurant de sentir les contours de son corps.

Le coucher est un moment privilégié pour parler de ce qui s'est passé pendant la journée, c'est un moment pour « boucler » les histoires inachevées, clore les questions en suspens, confier ses soucis.

A-t-il des cauchemars ? Y a-t-il dans la chambre un objet qui se transforme la nuit ? Sa veilleuse fait-elle une ombre suspecte ?

Soyez attentif. Peut-être est-il simplement en train de vous dire qu'il a besoin de vous auprès de lui. Ce n'est pas un « caprice », c'est l'expression d'un besoin ! En vous couchant quelques minutes à son côté, vous lui donnez un sentiment de sécurité qui l'accompagnera sa vie durant. En refusant de satisfaire sa requête, vous l'obligez à se confronter seul au noir, au passage vers le sommeil. Il apprendra certes à s'endormir tout seul, mais en utilisant une énergie psychique qui du coup ne sera plus disponible pour d'autres acquisitions. Les angoisses d'abandon refoulées peuvent notamment être à l'origine de retards dans l'acquisition du langage, de difficultés à articuler, ou à prononcer certaines syllabes...

Les terreurs nocturnes, qui réveillent l'enfant effaré en pleine nuit, disent les émotions mal gérées de la journée.

Faut-il avoir peur des contes de fées ?

Margot, deux ans et demi, se réveille en pleine nuit, elle hurle, elle a peur du loup. Je découvre que sa grand-mère lui a offert dans la journée un livre racontant l'histoire du loup qui voulait manger des petites biquettes. Nous en avons parlé. Je lui ai raconté l'histoire très lentement, en expliquant chaque chose, en revenant en arrière. Puis je lui ai dit que je n'aimais pas cette histoire qui faisait peur. Qu'allait-on faire de ce livre ? J'ai fait quatre propositions ; on le garde, on le brûle, on le déchire, on le jette à la poubelle. Elle a réfléchi puis a annoncé d'un ton décidé : « On le déchire », ce qu'elle a fait consciencieusement :

« Là, je déchire le loup en tout petits bouts, comme ça il mangera pas les biquettes. »

Les contes traditionnels sont souvent violents. Ils sont les reflets d'une époque où l'on faisait peur aux enfants pour obtenir obéissance et soumission. Il suffit d'écouter les berceuses anciennes pour se faire une idée de l'ambiance qui régnait dans la plupart des familles :

« Dors mon p'tit quinquin, ou le méchant monsieur te mangera... Fais dodo lonla ma bé, fais dodo lonla... On dirait un bruit de chaînes se traînant sur les cailloux, c'est le grand Lustucru qui passe et repasse, qui passe et s'en ira, emportant dans sa besace tous les petits gars qui ne dorment pas. Quelle est cette voix démente qui traverse les volets ? Non ce n'est pas la tourmente qui joue avec les galets, c'est le grand Lustu-cru qui gronde, qui gronde et qui bientôt rira en ramas-sant à la ronde tous les petits gars qui ne dorment pas... »

Loups, monstres et autres sorcières s'en donnent à cœur joie. Les contes ont été défendus par certains psychanalystes qui ont analysé leur symbolisme, relevé leur universalité... Il est vrai qu'ils sont porteurs de sym-boles. Mais les symboles non explicités n'aident pas à guérir, ils risquent même de servir la répression émo-tionnelle. Les émotions sont projetées sur les symboles, elles sont ainsi mises à distance, évitées. Je rejoins Alice Miller pour penser que les symboles aident à rester inconscient. Il n'y a pas de catharsis[1] par la pure sym-bolisation, sinon les artistes guériraient leurs blessures par leur art. Peindre, écrire, sculpter, les aident à sur-vivre en maintenant le refoulement. En revanche, on peut regarder une peinture comme on écoute un rêve, et utiliser couleurs et formes posées sur la toile pour remonter le fil des émotions. L'art-thérapie est une forme de thérapie très puissante. La sculpture, la pein-ture, le collage... sont des médiateurs. La personne se parle à elle-même, elle rencontre son inconscient qui s'exprime par l'art. Ces symboles-là parlent parce qu'ils sont l'expression de l'inconscient de la personne. **La parole est guérissante, parce qu'elle donne vie aux affects.** Elle permet de décrire ce qui se passe en soi,

---

1. Catharsis : mot grec signifiant purification, purgation. Décharge libé-ratrice d'émotions refoulées.

de prendre conscience et de structurer son expérience intime.

En revanche, lire un conte fait rarement progresser la conscience. Les contes anciens sont des reflets de la vie psychique. Mais sont-ils utiles pour nos enfants ? Je pense que non. Ma pratique clinique m'a indiqué qu'ils pouvaient se montrer nocifs. Un enfant qui vit justement les difficultés traitées dans le conte peut y trouver confirmation de croyances négatives et conserver longtemps des peurs. Le conte met en images des fantasmes de l'inconscient, des images susceptibles de renforcer les angoisses.

Juliane a eu peur de la belle-mère de Blanche-Neige pendant des années. Elle était si terrifiée qu'elle tentait de cacher le livre. Son frère, le sachant, lui ouvrait le livre sous le nez juste à la page de la sorcière pour avoir le plaisir de la voir frémir. Dans la réalité, Juliane avait peur de sa propre mère. Elle éprouvait beaucoup de colère, à l'époque inconsciente, contre cette femme qui se comportait si souvent en sorcière. Lire l'histoire de Blanche-Neige ne l'a pas aidée. Elle a été confortée dans sa peur. Elle a longtemps idéalisé sa maman, refusé de ressentir ses véritables émotions. Elle a vécu dans la forêt loin de son château (en exil d'elle-même). Un prince charmant l'a emmenée loin de sa mère... Jusqu'à ce qu'elle fasse une psychothérapie, retrouve et ose exprimer ses sentiments, reprenne confiance en elle.

Rosalda avait un problème incestueux avec son père... Elle est retournée cinq fois au cinéma voir le film *Peau d'âne*. Elle a senti qu'on y parlait d'une question qui la préoccupait, mais elle n'y a guère trouvé de ressource.

Thémie a eu peur pendant des années de se retrouver toute seule dans le froid comme la petite fille aux allumettes. Pour ne pas risquer de se faire ainsi rejeter, elle s'est conformée aux désirs des autres, oubliant d'être elle-même. À plus de cinquante ans, elle pleure encore en repensant à cette histoire.

Bambi, Peau d'âne, Cendrillon, Le Petit Poucet... Comment se fait-il que tant de mères meurent ou abandonnent leurs enfants dans les contes ? Notons que ces histoires ont été écrites par des hommes... Nous disent-ils ainsi combien il leur était difficile de quitter leur mère ? Il y a une autre interprétation : ils avaient des mères trop dures, trop autoritaires et frustrantes. Comme tout enfant, ils ont rêvé d'une maman bonne et douce. La colère contre leur vraie mère étant interdite, ils sont restés figés dans l'idéalisation d'une mère toute bonne, dont ils ne font jamais le deuil. Elle meurt, son image peut rester intacte. La colère est projetée sur la sorcière, sur la belle-mère, sur la méchante qui les martyrisent et les terrifient. On peut tuer une sorcière sans trop de culpabilité. Le message de ces contes est clair : l'enfant n'a pas le droit de ressentir de la colère contre sa maman. Ces histoires enferment la rage impuissante un peu plus profond. Nombre de contes sont au service de l'éducation dure et autoritaire, protègent l'image idéalisée des parents et déforment la réalité.

En quoi ce type d'histoire peut aider un enfant à accéder à sa construction ? Pourquoi donner des images qui peuvent être terrifiantes ? Pourquoi ne pas laisser aux enfants le choix de leurs propres symboles ? Bien sûr, ne vivront les contes de manière dramatique que ceux chez qui la problématique existe. Mais à quoi bon ? Et pourquoi ne pas choisir des histoires d'aujourd'hui ? Il y en a de très belles et bien écrites.

Les enfants aiment-ils avoir peur ?

Certains le disent. La peur exerce une sorte de fascination. Cela ne veut pas dire que les enfants aiment ce qui fait peur.

Un film de science-fiction est projeté dans l'avion qui nous transporte vers nos vacances. Mon fils Adrien, deux ans, se dresse sur son siège pour voir tout en marmonnant : « Ça me plaît pas ce monstre, je veux pas le voir. » Je tente de l'asseoir, ce qui serait suffisant pour que l'image disparaisse de son champ visuel, impossible ! Il est fasciné. Je me retourne. Margot, quatre ans, est elle aussi debout, littéralement hypnotisée par l'hydre monstrueuse qui se meut sur l'écran. Ils ne s'étaient levés pour regarder le film à aucun autre moment et n'avaient pas d'écouteurs leur permettant d'entendre le son. Là, ils étaient subjugués par la bizarrerie de l'image.

Quand on a peur, il faut arriver à juguler l'émotion, à comprendre. Pour se rassurer, mieux vaut regarder, faire face, voir ce qui se passe, identifier. Adrien a reparlé un bon moment de l'hydre : « Je voulais pas ce monstre, il était méchant. » Et pourtant, sur le moment, on ne pouvait l'en décoller.

Hasard malheureux, le lendemain, Adrien a reçu en cadeau le livre d'Hercule signé par Disney. Une histoire pleine de monstres, dont une hydre qui ressemblait à celle de l'écran ! Adrien voulait lire ce livre, encore et encore. Il « aimait » particulièrement les pages avec les monstres. En fait, il avait besoin de les voir pour se rassurer, prendre le pouvoir sur eux. Il s'est mis à faire des cauchemars toutes les nuits jusqu'à ce que j'identifie le responsable. J'ai alors invité Adrien à dessiner son cauchemar, et j'ai subtilisé le livre jusqu'à ce qu'il soit assez grand pour regarder le monstre sans en avoir peur. Les cauchemars ont cessé instantanément.

Le dragon dans les tunnels

L'été suivant, nous allons visiter des grottes.

« Non, je veux pas y aller, je veux pas le dragon. » Adrien s'accroche désespérément à moi.

Tout excité quelques minutes auparavant à l'idée de la visite, quand la porte s'ouvre sur une cave sombre, il refuse d'entrer. Dans une grotte, il y a un dragon, c'est évident ! Il était terrifié et se cramponnait à moi. Je suis entrée, le portant dans mes bras et lui parlant en continu. Un bain de paroles douces et enveloppantes aide l'enfant à se sécuriser. Un peu plus tard, découvrant qu'il n'y avait décidément pas de dragon dans cette grotte, il s'est mis en colère :

« Je veux le dragon ! Je veux pas cette grotte, elle me plaît pas ! »

Cette aventure m'a permis incidemment d'identifier la source de ses peurs des tunnels. Un mois auparavant, nous étions allés à Disneyland. Il y avait une grotte avec un dragon articulé qui bougeait la tête et soufflait de la fumée. Il paraissait tellement vrai que, aux yeux d'Adrien, il était vivant. Malgré mes efforts pour lui montrer les mécanismes, il est resté persuadé que ce monstre était réel. Sur le moment, j'avoue que j'ai méconnu l'importance de cette histoire. Adrien voulait retourner voir le dragon, et pour qu'il n'ait pas peur de nouveau, j'ai préféré ne pas l'y emmener. Il y avait tant d'autres choses à voir !

Seulement, à dater de ce jour, il s'est mis à avoir peur en voiture dans tous les tunnels. Dès que nous pénétrions sous une voûte, il pleurait : « Je veux sortir d'ici, je veux pas être enfermé, je ne veux pas le tunnel !

— Qu'est-ce qui ne te plaît pas dans le tunnel ?

— Il y a des dragons. Moi, j'aime pas les dragons. »

Devant l'impossibilité de lui faire admettre que les dragons c'est pour de faux, j'essayai une autre option, l'exploration de sa force :

« Qu'est-ce que tu ferais, si tu voyais un dragon ?

— Je le tuerais, je lui couperais le ventre, je lui donnerais un cadeau, je vais l'apprivoiser. Tu vas voir, il va te faire peur... »

Petit à petit, Adrien a dominé sa peur en parlant de tout ce qu'il ferait avec le dragon. Il n'était plus démuni... mais tout de même, il n'avait pas très envie de rencontrer un dragon, et n'était toujours pas certain que ces monstres appartenaient au domaine de l'imaginaire.

Après la visite de la grotte, et surtout après avoir reparlé du dragon de Disney, Adrien a pu entrer sous un tunnel sans inquiétude. Il remarque dorénavant tous les tunnels, en parle, mais n'a plus de peurs.

Peur des araignées, des insectes, des chiens, chats, et autres phobies

Les images les plus anodines peuvent déclencher des phobies. L'enfant petit ne sait pas toujours mettre des limites aux images, il n'identifie pas bien les contours, et pour peu que le rythme de présentation soit un peu rapide, la musique un peu trop forte, la peur se déclenche. J'ai raconté dans un précédent livre, *L'Intelligence du cœur*, comment une femme a construit une phobie des araignées en regardant toute seule un documentaire à la télévision alors qu'elle avait quatre ans !

Dans nos contrées, les araignées rencontrées dans la nature ne sont pas dangereuses. Bien au contraire, elles nous protègent des mouches et moustiques. Elles ont pourtant mauvaise réputation. L'araignée tisse sa toile, elle paralyse ses proies. Elle peut symboliser une mère envahissante devant laquelle il est difficile de fuir !

Les enfants n'ont pas naturellement peur des insectes. Ils peuvent les prendre dans la main, observer que cela chatouille. Tout dépend de l'attitude de l'entourage envers ces mêmes insectes, car la peur est extrêmement contagieuse. Si l'autre a peur, c'est que ce doit être dangereux, il vaut mieux que j'aie peur.

Des peurs injustifiées ou disproportionnées sont souvent des projections d'autres angoisses sur des objets éloignés de l'objet réel de la peur ou de la colère réprimée.

La cave et le cagibi

Comme la peur des araignées, cette peur est typique d'une peur transmise par les parents ou par d'autres enfants (cousins, etc.). Cela dit, il est vrai que la cave est un endroit inhabituel. On n'y passe pas, contrairement à la plupart des pièces de la maison. On y va seul chercher quelque chose, ce n'est pas un endroit où l'on reste, c'est donc un endroit à fuir. De plus il y fait froid, humide. Et l'ambiance est plutôt morose. Il y fait sombre, il n'y a pas de fenêtre.

La meilleure façon d'éviter les peurs est d'y aller volontiers soi-même. Les enfants repèrent vite qu'un des parents se décharge systématiquement sur l'autre de certaines tâches. Si quelqu'un évite d'aller à la cave... c'est qu'il y a anguille sous roche ! C'est mystérieux, dangereux.

Nombre de parents d'aujourd'hui ont vécu d'horribles heures dans la cave quand ils étaient enfants. C'était une punition classique.

Géraldine était régulièrement enfermée au sous-sol alors que ses parents habitaient au quatrième étage d'un immeuble ! Imaginez vous son épouvante, la terreur sans nom éprouvée pendant les heures passées dans cette cave ? Elle savait qu'il était inutile de crier, elle n'entendait même pas les bruits de la maison... rien que quelques souris, des araignées qui se prenaient dans ses cheveux et l'humidité.

Hubert a été oublié toute une nuit à quinze ans dans la cave d'une école ! Il y avait été placé par le directeur parce qu'il n'avait pas fourni les efforts requis. Le directeur avait eu autre chose à faire que de penser à le libérer à la sortie des cours. Les parents étaient aux quatre cents coups en ne voyant pas leur fils revenir, mais l'école était fermée... C'était il y a trente ans, le directeur n'a pas été inquiété, le jeune garçon a poursuivi sa scolarité dans la même école. Il n'a toutefois jamais plus été envoyé à la cave.

Pour un oui ou pour un non, Hervé se retrouvait au sous-sol ou dans un cagibi noir du grenier, avec ordre de rester au bas des marches de la cave pour ne pas percevoir le rai de lumière sous la porte, et debout bien sûr. Chaque manquement lui valait quelques heures de plus. Quand la punition était trop longue, on lui apportait un bout de pain pour qu'il ne meure pas de faim. Pleurer ou faire du bruit déclenchait de nouvelles foudres parentales, la cravache n'était jamais loin.

Quand on a vécu de telles choses, comment transmettre à ses enfants le plaisir d'explorer les caves ?

Il est timide ?

Les adultes nomment timidité ces quelques minutes que la plupart des petits enfants prennent avant d'entrer en contact. Ils dissimulent ainsi leur malaise devant cet enfant qui ne sait pas encore respecter les codes sociaux. Le bonjour qui ne vient pas automatiquement déstabilise les adultes, et c'est le petit qui est qualifié de timide ! Ne laissez pas cette étiquette s'accrocher à votre enfant, elle risquerait de lui signifier qu'il n'est pas normal, et de le rendre timide pour de bon. À qui la lui adresse, répliquez : « Non, il a juste besoin d'un peu de temps pour faire connaissance. »

Un moment est nécessaire à chaque enfant pour assimiler ce qui se passe et se sentir en sécurité. Il est peut-être plus agréable pour les adultes de voir les enfants dire bonjour sans être attentifs à qui ils ont affaire, mais c'est un signe de soumission et d'automatisme davantage que de responsabilité et de véritable politesse.

Ce temps d'observation nécessaire est variable selon les enfants, l'attitude des adultes, et le moment. Il peut durer jusqu'à vingt minutes. L'enfant a besoin d'aller vers l'autre de son propre chef, à son rythme, au moment où il le jugera opportun.

Que faire devant les peurs de l'école, du professeur, des notes...

Écoutez sa réalité. De quoi a-t-il peur vraiment ? De votre réaction ? de celle de votre conjoint ? de l'enseignant ? des autres enfants ?

Les évaluations prennent aujourd'hui des importances démesurées. Nombre de parents réagissent mal aux mauvaises notes. Au moment où leur enfant a le plus besoin d'être entendu dans ses difficultés, de se sentir soutenu, encouragé, ils brandissent la menace du chômage. Un banal 0 évoque pour eux la perspective d'un avenir bouché. Tout cela n'aide pas les enfants à se sentir confiants avant une interrogation écrite.

Derrière l'angoisse des notes, l'enfant peut craindre en fait son professeur, son regard, ses remarques, son jugement. Trop d'enseignants manient la dévalorisation. Pour certains, l'humiliation est une méthode pédagogique !

Il a peur de son professeur ? Il ne veut plus retourner à l'école ? **Écoutez votre enfant.** Ne prenez surtout pas parti systématiquement pour l'enseignant. S'il a peur, c'est qu'il a mal vécu quelque chose, il est important de savoir quoi pour l'aider à faire face ou le protéger.

Ne craignez pas de déstabiliser votre enfant si vous exprimez un désaccord avec son enseignant. Même s'il doit subir toute l'année une maîtresse méchante avec lui, **savoir que vous pensez que c'est injuste l'aidera à ne pas se dévaloriser, à conserver sa confiance en lui.** Sentir votre soutien l'aidera à prendre de la distance et à ne pas se laisser détruire.

Les coups sont interdits dans les écoles, malheureusement nombre d'enseignants avouent encore tirer les oreilles, donner des gifles soi-disant « bien méritées » ou taper sur les doigts...

Le piquet et les lignes, les punitions humiliantes, sont interdits depuis 1890 !

Comment lui demander de respecter la loi quand même ses enseignants ne la respectent pas ?

Si son professeur exagère, agissez. Exigez que la loi française soit respectée. Ne laissez pas votre enfant accumuler en lui des sentiments d'injustice et d'impuissance. Cette atmosphère intérieure n'est bonne ni pour ses études, ni pour son épanouissement émotionnel.

Clara (douze ans) a été traitée de « gros tas » par son maître. Paul (cinq ans) a été traité de mongolien parce qu'il n'avait pas compris une consigne ! Les « petit con, gros nul, toi le débile, tu te tais ! » restent trop fréquents. Ces insultes sont intolérables. Souvent les enfants n'osent pas le dire à leurs parents. Il n'est pas facile de confier qu'on a été humilié.

Ne banalisez pas l'autoritarisme, l'injustice, l'ironie ou les menaces d'un enseignant. Prenez clairement le parti de votre enfant. Aucun adulte, pas même un professeur, n'a le droit de lui faire du mal, de le blesser, de le ridiculiser, ni bien sûr de le frapper. Selon les circonstances et la gravité, aidez votre fils (fille) à trouver des réponses aux réflexions désobligeantes, allez voir l'enseignant et demandez-lui de modifier son attitude, déposez plainte, retirez votre enfant de cette classe, voire de cette école.

Trop de parents n'interviennent pas. Ils se disent que cela ne durera pas, qu'il n'y a plus que quelques mois avant l'année suivante... Seulement si rien n'est fait, leur enfant engrammera l'humiliation. Même quand il ne sera plus en contact avec cet enseignant, il continuera de la porter dans sa tête et d'entendre les phrases dévalorisantes.

Christophe avait de très mauvaises notes en mathématiques. Trois ans auparavant, son professeur criait beaucoup et le rabaissait régulièrement devant toute la classe. Ses notes avaient chuté en conséquence. Il en avait acquis la conviction qu'il était un mauvais élève. Sa mère allait dans le sens de l'enseignant, lui expliquant que le professeur criait pour le stimuler en raison de ses mauvais résultats. Elle ne voyait pas que c'était exactement le contraire.

Trois ans plus tard, il avait changé de professeur, mais il continuait d'avoir des résultats déplorables, les phrases blessantes du premier enseignant lui étaient restées dans la tête ! De plus, il lui arrivait de le croiser dans la rue. C'était sa hantise. Quand il l'apercevait, il changeait de trottoir et n'osait jamais lever les yeux vers lui.

J'ai aidé Christophe à réfléchir et à voir son professeur dans sa réalité. Qu'est-ce qui le poussait à crier ainsi sur un petit garçon, à l'humilier ? Il était fort mal dans sa peau, c'était évident. Pour rétablir l'équilibre, nous avons construit une visualisation dans laquelle j'ai invité Christophe à imaginer M. Machin affublé d'un nez rouge, déguisé d'un pantalon bariolé... En deux séances, il a récupéré ses compétences mathématiques. Il lui a suffi de rétablir la vérité. Ce n'était pas lui qui était mauvais ou pas à la hauteur, mais M. Machin. Libéré du poids de ces croyances négatives et des séquelles des humiliations, il a retrouvé ses aptitudes intellectuelles.

Aidez votre enfant à se relaxer et à visualiser un petit film pour expulser les sentiments négatifs accumulés et l'aider à rétablir son intégrité. Dans le mental, dans le fantasme, on peut découper l'autre en morceaux, lui jeter un seau d'eau sur la tête, peindre son nez en rouge et ses cheveux en bleu, le voir tout nu ou habillé d'un costume vert à pois roses... tout est permis, et tellement libérateur.

Des craintes peuvent aussi être motivées par les copains. Frédéric était terrifié à l'idée d'avoir de trop bonnes notes. Il était important pour lui de ne pas dépasser Uzi, très susceptible sur les histoires de classement !

Un enfant peut être intimidé dans la cour de récréation ou dans la classe, craindre quelqu'un, adulte ou enfant, ou quelque chose, échouer, faire pipi dans des toilettes sales, aller demander du papier WC... Chaque peur requiert un traitement spécifique. Écoutez !

3

Traverser la peur

Margot a quatre ans et demi. Nous sommes à la piscine, au soleil. Elle est équipée d'un maillot à flotteurs. Il y a six mois, à la mer, elle a pris un grand plaisir à barboter là où elle n'avait pas pied. Mais ici, au troisième jour, elle continue de se cramponner à moi :

« J'ai peur, ne me lâche pas ! »

Tout d'abord accueillir.

« Je comprends que tu aies peur. Ça fait longtemps que tu n'as pas eu l'occasion de nager. »

Puis aider l'enfant à prendre contact avec ses ressources.

« Tu te rappelles à la Martinique comme tu avais du plaisir à nager avec tes flotteurs ? On allait loin, où tu n'avais pas pied et tu me lâchais ! »

Attention au ton utilisé ! Le mien est admiratif. L'intention ici n'est surtout pas de la culpabiliser en lui suggérant qu'elle est bien bête puisqu'elle y allait facilement, mais de l'aider à se souvenir, à se remettre en contact avec ses ressources et avec le plaisir ressenti, de manière à faire naître l'envie.

« Mmoui. »

Elle oscille entre le désir et la peur. La ressource est insuffisante. Je cherche autre chose dans son passé.

« Tu te rappelles une fois où tu avais peur et tu as dépassé ta peur ?

— Oh oui...

— Comment tu as fait ce jour-là pour dépasser ta peur ? Tu te rappelles comme tu étais fière ? Tu la sens en toi cette fierté ?

— Oui. »

Partager ses propres peurs pour la rassurer.

« Tu sais, moi aussi j'ai une peur, j'ai très peur d'aller sur le toboggan géant. Tu as vu, ton papa y est allé, mais moi non. J'ai bien trop peur. Pourtant je sais bien qu'il n'y a pas de danger, comme pour toi avec tes flotteurs. »

Encourager, motiver à dépasser.

« Quelquefois on a peur, mais on y va quand même. On peut y aller avec la peur, la dépasser. On va s'encourager toutes les deux. Tu dépasses ta peur et tu vas nager dans le grand bain avec ton maillot à flotteurs, et moi je dépasse ma peur et je vais sur le grand toboggan !

— Je veux sortir ! »

OK. Ne jamais insister !

Elle a besoin de temps pour décider vraiment pour elle-même et non pour me faire plaisir. Ici, c'est d'autant plus facile que j'ai réellement peur du toboggan et elle le sait. Elle sait qu'en allant nager dans le grand bain, elle me met face à quelque chose de difficile pour moi. La peur est une anticipation négative, il nous reste à la transformer en désir, anticipation positive. Ce passage de l'une à l'autre n'est possible que si l'enfant se sent libre de son choix.

Elle enlève son maillot, nous nous séchons.

Quelques instants plus tard :

« Tu me mets mon maillot à flotteurs, maman ! »

Il est fondamental que ce soit Margot qui ait choisi d'y aller. La décision « j'y vais » signe le déclic qui transforme la peur inhibitrice en peur motrice.

Je l'aide à enfiler son maillot, et elle part vers l'eau, très déterminée. Vaillamment, et apparemment sans grande difficulté, elle dépasse son trac, descend l'échelle du grand bain et s'aventure vers le large ! Elle pédale avec les jambes, pousse avec les bras. Elle nage ! Elle y prend manifestement du plaisir. Après un petit moment, elle m'apostrophe :

« Maintenant tu vas au toboggan, maman !

— OK, c'est à moi. »

Après avoir descendu en hurlant le grand toboggan à eau, je me sens fière de moi. Je le lui dis, et elle me répond :

« Moi aussi, je suis contente d'avoir été dans le grand bain. J'adore le grand bain maintenant. On y retourne ? »

La fierté enracine le succès et la confiance en soi, il est important qu'elle se sente fière de sa réussite.

Ce qui rassure un enfant n'est pas que son entourage n'ait jamais peur, mais au contraire de savoir que tout un chacun — même les adultes et même ses parents — a peur parfois.

Un enfant qui croit être le seul à avoir peur, qui imagine que son père et sa mère sont exempts de cette émotion, se sent facilement « anormal ». Ce qui, bien entendu, aggrave son sentiment d'insécurité.

Reprenons les différentes étapes
de l'accompagnement de l'émotion

1. Respecter l'émotion

C'est la condition pour que votre enfant vous fasse confiance. Respectez toujours son émotion, même si elle vous paraît irrationnelle. L'enfant a peur, il n'a ni tort ni raison, il a *une* raison (ou plusieurs) d'avoir peur, même si ni lui ni vous ne la (les) connaissez encore.

2. Écouter

« Qu'est-ce qui te fait peur ? »
« Qu'est-ce qui te fait le plus peur ? »
Rappelez vous que : « J'ai peur du chien » reste très vague. Est-ce l'aboiement du chien ? Ses mouvements brusques ? Sa langue ? Sa gueule ? Son regard ? A-t-il peur que le chien le morde ou saute autour de lui pour lui faire fête ou encore le lèche de sa grande langue mouillée ?

Écouter n'est pas seulement prêter une oreille attentive, c'est aussi aider l'enfant à exprimer sa vérité. Attention à ne pas mobiliser son intellect en utilisant une formulation sur le mode « pourquoi ? » qui va l'inciter à vous fournir une raison certes plausible... mais pas forcément liée à sa réalité. Partez du principe que l'enfant ne connaît pas les motivations réelles de sa peur. Par votre écoute, vous allez l'aider à les découvrir. Accompagnez-le dans sa recherche par des reformulations et des questions qui débutent par « qu'est-ce que, comment, de quoi ». (Ce type de questionnement sera décrit plus précisément dans le chapitre X « Quelques idées pour vivre plus heureux avec vos enfants » p. 297.)

3. Accepter et comprendre

« Je comprends que tu aies peur. Il fait beaucoup de bruit ce chien. »

Reconnaissez l'émotion de l'enfant. Manifestez-lui votre approbation, il a le droit de ressentir ce qu'il ressent. Ne vous mettez ni à chercher à le « guérir » de sa peur, ni à résoudre son problème à sa place. Faites preuve de compassion, d'empathie, c'est tout ce dont il a besoin.

Vous allez l'accompagner pour tenter de vaincre cette peur, mais seulement selon son désir à lui. Toute attente de votre part bloquerait le processus.

4. Moi aussi / dédramatiser

Une fois qu'il a pu dire son vécu, vous pouvez lui parler de vos propres émotions d'aujourd'hui ou d'hier, quand vous-même étiez un petit garçon ou une petite fille. Aviez-vous la même crainte ? une autre ? Partagez. Ne faites pas semblant, dites la vérité à votre enfant. Choisissez de préférence une peur que votre enfant n'a pas, de manière à ce qu'il se sente plus fort que vous sur ce point, cela l'aidera à affronter les siennes !

5. Chercher ses ressources, intérieures et extérieures

Nous avons tous vécu l'expérience d'avoir traversé et dépassé une peur.

« Tu te rappelles une peur que tu avais, et que tu n'avais plus après ? »

Si l'enfant ne se souvient pas spontanément, vous pouvez l'aider :

« Par exemple, la première fois que tu as été invité à aller dormir chez Stéphane. »

Laissez-lui le temps de se rappeler et d'évoquer les sensations éprouvées alors.

« Et puis, tu as décidé d'y aller. Tu te rappelles comment tu as décidé ? Et tu te rappelles comment ça s'est passé ? Tu es revenu à la maison ravi. Tu te souviens ? »

« Tu vois, tu as déjà eu peur et tu as dépassé ta peur. Est-ce que tu vois comment tu pourrais utiliser cette expérience pour la peur que tu as de ce chien ? »

Laissez-lui quelques minutes pour y penser.

6. L'aider à libérer son énergie

Quand on a peur, on a le diaphragme contracté. Tout ce qui permet de le détendre aide à évacuer la crainte : respirer profondément, chanter, crier, rire. Invitez votre enfant à respirer profondément jusqu'à évacuer cette sensation d'oppression. Chantez, criez avec votre enfant, aidez-le à sortir sa voix. Il se sentira puissant et prêt à affronter l'adversité.

S'il n'y arrive pas, s'il est trop inhibé pour oser hurler, proposez-lui de penser à quelqu'un qui n'aurait pas peur dans la même situation, un copain, le père d'un copain, le boucher, le garagiste... ou Tarzan, James Bond, Robert Redford... Invitez-le à le voir agir... Puis à imaginer qu'il est à l'intérieur du personnage. Aidez-le à se sentir fort, puissant, à l'aise dans cette peau.

« Tu sens la sensation de confiance et de force ? Je crois que tu peux décider que c'est ta force à toi ! »

7. Satisfaire le besoin d'information

Votre enfant a pris contact avec ses ressources. Il lui faut aussi recevoir des informations, en l'occurrence, savoir si ce chien est dangereux ou non.

Celui qui a peur a besoin de réassurance et d'information. Mais si vous donnez l'information trop tôt, elle n'est tout simplement pas entendue. C'est pourquoi les explications demeurent si souvent vaines. Il vous faut tout d'abord écouter l'émotion, accompagner l'enfant dans la prise de contact avec ses ressources personnelles. Seulement alors, l'enfant sera attentif à vos explications. Et encore est-il préférable qu'il les trouve par lui-même.

« Qu'est-ce que tu peux faire pour savoir s'il est dangereux ? »

Aidez-le à réfléchir. Par exemple, allez ensemble à la bibliothèque pour emprunter un livre sur les chiens, et donnez-lui les informations dont il a besoin et qu'il ne peut trouver seul facilement. Il sera plus à même de transposer cette dynamique dans d'autres circonstances. Plus il sera autonome dans sa recherche, plus il se sentira solide face à ses craintes.

8. Faire élaborer différentes réponses possibles face à la peur

Selon le contexte et les circonstances, vous pouvez vous arrêter à une solution satisfaisante, ou lui demander de formuler plusieurs options. Attention à ne pas qualifier ses idées de « bonnes » ou « mauvaises », c'est à l'enfant d'en évaluer la portée.

« Oui, tu peux demander au maître du chien si tu peux le caresser, c'est une idée. Qu'est-ce que tu peux faire d'autre ? »

Évoquez et évaluez une à une les différentes réponses proposées par l'enfant :

« Et si tu fais ça, qu'est-ce qui se passera ? Est-ce que tu auras moins peur ? »

« Qu'est-ce qui pourrait te donner envie de caresser le chien et de dépasser ta peur ? »

Peur ? Pensez envie. Qu'est-ce qui peut lui donner suffisamment envie de se confronter au chien, à l'eau ou au toboggan pour ne plus être dominé par la crainte ? Il est fondamental qu'il n'y ait aucune pression dans votre esprit. Que vous n'ayez pas le désir que l'enfant dépasse sa peur devant vous. Sinon, il se sent contraint par votre désir... et **la contrainte engendre la peur** ! Seul le libre choix donne le sentiment d'avoir du pouvoir sur l'environnement et met en condition de dépasser les peurs.

4

Utiliser le trac

Nous sommes à la veille du spectacle de fin d'année d'école donné à la mairie. Trois cents personnes sont attendues. Margot ne m'a parlé de rien, mais je sais que se produire en public est impressionnant pour tout un chacun, a fortiori pour une petite fille de quatre ans qui va monter sur scène pour la première fois. Comment la préparer au mieux à cette expérience ?

« Tu as un peu peur de danser devant les gens ou tu te sens bien ?

— J'ai un peu peur.

— Oui, c'est normal d'avoir un peu peur. J'avais envie de t'en parler, parce que moi aussi, quand je fais une conférence devant beaucoup de gens, j'ai un peu peur. J'ai le cœur qui bat, le ventre serré, j'ai la gorge sèche et les mains moites. En fait, quand on ressent ça, c'est le corps qui se prépare pour parler. Il se passe plein de choses dans le corps pour qu'on ait l'énergie de danser, de chanter ou de parler. Tu as déjà senti ça dans ton corps ?

— J'ai aussi le cœur qui bat quand il y a un chien qui aboie.

— Ce sont les manifestations de la peur. La peur permet de se remplir d'énergie pour faire face à un danger ou pour se préparer. En fait, la peur qu'on ressent pour se préparer s'appelle le trac. C'est normal. Tout le monde le ressent dans ce genre de moment. Quand tu monteras sur la scène, tu auras le trac, parce que ton corps va se préparer à donner le meilleur de lui-même. Quand je sens ça, moi, je suis contente. Je sais que mon corps se prépare. Je respire profondément. Je sens mes pieds bien solides sur le sol et je regarde les gens. Je me dis que je les aime, que je suis heureuse de leur parler et, dans ma tête, je leur envoie des rayons de lumière pour me sentir en contact avec eux. C'est ma solution, j'ai eu cette idée qui m'aide à ralentir mon cœur quand il va trop vite. Tu peux avoir ton idée à toi, essayer différentes choses. De toute façon, dès que je commence à parler, j'utilise l'énergie qui est dans mon corps et tout le trac s'en va. Et toi, tu as une idée de ce que tu peux faire pour te sentir mieux ?

— Oui, j'ai une idée », dit-elle radieuse après quelques minutes de réflexion.

Elle ne m'en a pas dit plus, mais quelques jours plus tard, elle était manifestement ravie d'être sur scène. Elle prenait plaisir à danser en regardant vraiment les gens. Sa maîtresse a dû lui rappeler qu'il était temps de quitter la scène pour laisser le reste du spectacle se dérouler.

Certaines peurs sont utiles (elles préparent le corps à une action, elles annoncent un danger). D'autres sont exagérées (les araignées ne sont pas méchantes dans nos régions, les marteaux-piqueurs maniés par les ouvriers dans la rue font beaucoup de bruit mais ne sont pas menaçants, les chiens qui sont enfermés derrière des grilles ne peuvent nous sauter dessus, quand on a des flotteurs tout autour de la taille, on ne peut pas se noyer...).

Les peurs utiles sont à respecter et à écouter, inutile de prendre des risques. Les autres, on peut les dépasser... quand on l'a décidé soi-même, et être très fier de soi après.

5

Il est peureux ?

La peur s'installe de façon presque permanente ? L'enfant est inquiet voire inhibé dans de multiples situations ? Il panique pour un rien ? Il est en train de se forger des habitudes émotionnelles, autrement dit un « caractère » peureux ? Il est urgent de l'aider.

Les racines de cette peur qui prend le pas sur toutes les autres émotions peuvent être multiples.

Une réaction à une surprotection parentale

« Attention, tu vas tomber. »

« Ne marche pas là-dessus. »

Quand le parent tente d'éviter à son enfant de se confronter au danger, il transmet paradoxalement à son enfant l'information : « le monde est dangereux » et « tu n'es pas capable ».

Soyons cohérents ; les enfants reçoivent souvent des messages contradictoires. Leurs parents les abreuvent de « vas-y, n'aie pas peur », mais dès qu'ils prennent un peu d'autonomie, voici que fusent les « attention » jetés d'un ton anxieux ! Comment s'y retrouver ? D'un côté « allez, fais un bisou à la dame », d'un autre « surtout ne parle pas à des étrangers ».

De l'enfant qui prend le temps de rencontrer une nouvelle personne, qui attend de voir à qui il a affaire avant de se jeter à son cou, on dira qu'il est timide, qu'il a peur des gens !

De celui qui se précipite sans vergogne vers tout adulte qui s'approche de lui, les parents diront « il est capable de partir avec n'importe qui » d'un ton de reproche !

Prenons un instant la mesure de ce que peut vivre un enfant devant ces doubles contraintes !

Il peut se faire mordre ou taper par un copain, il peut se faire un bleu, avoir une marque quelques jours... Il peut tomber de la balançoire, culbuter sur le petit muret... il se fera un peu mal, et alors ? Il y a peu de risques que ce soit très grave ! Parfois quelques bleus permettent d'apprendre mieux que tous les conseils de prudence bien intentionnés.

À force de vouloir éviter toute blessure, on peut en provoquer une bien plus grande, qui fendille le narcissisme, flétrit l'image de soi et altère le sentiment de capacité.

Maintenant, les squares sont protégés, même si on ne peut jamais écarter tout risque de blessure. Mieux vaut apprendre à l'enfant à se tenir, à sauter, à tomber, à tester son équilibre et ses ressources que de le maintenir assis sur un banc. Sinon il risque d'y rester toute sa vie.

Les bleus de l'âme peuvent être plus graves que les bobos du corps.

La surprotection parentale mène à l'inhibition... ou au risque. Trop d'interdits peuvent mener paradoxalement l'enfant à avoir besoin d'explorer ses limites. Quand la liberté lui est enfin donnée ou quand il la prend, il risque de se montrer beaucoup plus casse-cou que d'autres, qui ont eu l'occasion de se confronter progressivement à leurs limites et ont pu acquérir un sentiment de responsabilité.

Cesser de surprotéger est souvent suffisant pour que l'enfant perçoive de nouvelles permissions. Faites-lui confiance, il se sentira digne de confiance.

Attention, ne plus surprotéger ne veut pas dire laisser l'enfant seul avec ses difficultés, cela signifie faire le tri entre ses angoisses parentales et la réalité du danger.

Pour aider cet enfant, prenez conscience de vos attitudes et petites phrases surprotectrices ou dévalorisantes... et retenez-vous. Faites-lui confiance.

Le refoulement de la colère

Sa rage est intense, mais l'enfant s'interdit, ou ses parents lui interdisent, de la montrer voire de l'éprouver. L'enfant alors se sent méchant de la ressentir, il la retourne contre lui-même, se juge, se sent ridicule, petit, inadéquat.

Nombre d'aînés sont plus timides que leurs cadets. Ce sont ceux qui ne se donnent pas le droit de manifester leur jalousie. Ils refoulent leur colère contre ce petit frère ou cette petite sœur qui leur a enlevé leur maman.

L'enfant en colère et qui ne peut l'exprimer a peur de sa propre violence et de la vengeance des autres.

Pour se protéger de ces émotions trop intenses qui le culpabiliseraient, il refuse de sentir sa rage, l'attribue à son entourage. Il a peur des autres, porteurs de sa violence, des gens (ils vont me faire du mal), de ses copains (ils vont se moquer), des chiens (il va me mordre), des chats (il va me griffer)...

L'expression de peurs niées ou refoulées des parents

Les enfants sont extrêmement attentifs à ce qui fait peur à leurs parents. Si vous sursautez en apercevant dans la rue quelqu'un que votre enfant ne connaît pas, si vous vous sentez inquiet à l'idée de le rencontrer, votre enfant le ressentira immédiatement. S'il est conscient de ce qui se passe, il vous le demandera : « Qu'est-ce que tu as maman ? » Sinon, il regardera autour de lui d'un air inquiet, se sentira apeuré sans pouvoir vraiment en identifier la cause.

Guillaume a trois ans. Il a peur de tout ce qui est nouveau, il n'ose pas aller vers les autres. Il est rapidement apparu que les parents de Guillaume avaient peu d'amis. Ils sortaient peu, évitaient d'emmener Guillaume dans les magasins, dans le métro, dans les galeries commerciales... Ils le mettaient à l'abri, persuadés que ce n'étaient pas des endroits positifs pour lui. Il est vrai que ce ne sont pas des lieux où les enfants s'épanouissent particulièrement, mais ils font partie de la vie quotidienne dans la société d'aujourd'hui et, sans y traîner les petits tous les jours, leur évitement systématique pose problème.

Pour soulager l'enfant peureux d'une crainte qui ne lui appartient pas en propre mais qui semble être le reflet de la nôtre, il est utile de lui parler de nous et de lui signaler qu'il n'a pas à prendre nos émotions à son compte. Il est bien sûr encore plus efficace (et tellement plus confortable après) d'en guérir soi-même !

Yolaine était venue me consulter pour sa fille, terrorisée dans la cour de récréation. En réalité, c'est Yolaine qui avait peur. Elle craignait que sa fille ne revive ce qu'elle-même avait vécu à l'école. Une fois qu'elle l'eut identifié, elle a spontanément parlé à Daphné de ses terreurs passées et lui a clairement dit qu'elle n'avait pas à prendre en charge ses peurs. Le lendemain en revenant de l'école, Daphné, toute réjouie, a annoncé à sa mère :

« Je te rends tes peurs, maman. »

De ce jour, la transformation a été spectaculaire. Daphné est redevenue joyeuse. Toute inquiétude s'est envolée. Magique ? Non, mais la réponse juste libère très vite l'énergie chez les enfants.

Comment aider un enfant peureux ?

1. Cessez de le juger peureux ! C'est juste un enfant qui a beaucoup de peurs ou qui n'ose se mettre en colère. Ne serait-ce pas vous d'ailleurs qui lui interdisez la rage ?

2. Pour le mettre en confiance :
◊ Proposez des activités à la mesure de ses possibilités.
◊ Autorisez des voies d'expression de la colère.

◊ Favorisez sa créativité.

◊ Trouvez des activités, des lieux, des jeux, d'où tout jugement, toute évaluation, soit exclu. Il existe aujourd'hui de plus en plus d'ateliers variés dans lesquels l'enfant peut s'aventurer, produire, s'exprimer, **sans qu'aucun jugement (positif ou négatif) ne soit émis**. L'atelier d'expression d'Arno Stern (voir bibliographie) est un modèle du genre. On peut y peindre sans être jugé. Le respect de l'enfant, de son rythme, de son processus, de ses besoins, y est total. Une grande attention lui est octroyée.

3. Le contact avec les grands animaux est souvent très aidant. Les poneys, les chiens ne jugent pas, n'exigent pas, ils permettent à l'enfant de s'approcher à son rythme, ils lui font confiance et l'enfant du coup se sent rassuré.

4. Les ordinateurs non plus ne jugent pas et se montrent d'une infinie patience. L'enfant peut faire, refaire et refaire sans que jamais l'ordinateur n'ait un mouvement d'énervement. À condition qu'aucun adulte ne surveille le « résultat », l'enfant peut prendre du plaisir à explorer, il peut s'aventurer seul avec sa souris, prendre peu à peu et insensiblement confiance en ses capacités.

5. Mesurez vos propres peurs et guérissez-les.

En bref :
N'obligez pas l'enfant à faire face à ses peurs trop directement. Donnez-lui les moyens de les affronter à son rythme et de ne les dépasser que si c'est son propre choix.

V

LA COLÈRE EST AU SERVICE
DE L'IDENTITÉ

Combien de parents ont souffert, au square ou au supermarché, quand leur chérubin se roulait par terre en hurlant sous le regard plein de reproches des autres adultes présents.

Pourtant la colère est une réaction naturelle et saine devant la frustration.

1

La colère est une réaction saine

Le visage de Lucie, trois ans, se crispe. « C'est pas juste, je veux y aller ! » Elle devient toute rouge, ses poings se ferment. Elle est en colère. Elle refuse d'accepter le verdict du jeu d'Am stram gram qui a désigné sa sœur pour monter sur le vélo. À trois ans, même si Am stram gram a dit, Lucie a tout de même envie de monter sur le vélo et elle est très frustrée.

Le seul avantage d'Am stram gram est que le choix n'est pas opéré par l'adulte. Arbitraire, reposant sur le hasard, il n'implique pas de préférence du parent pour tel ou tel enfant. Mais les parents ne peuvent pas attendre d'un si petit qu'il accepte son sort sans râler.

« S'il te plaît, maman, j'ai fini ma glace. J'en veux une autre.

— Non, une seule glace suffit. »

Imaginez un enfant de trois ans qui dirait :

« Bon d'accord, maman, je comprends qu'une glace est suffisante. »

Que ressentiriez-vous ?

Vous vous sentiriez vaguement mal à l'aise. Non

seulement l'enfant n'affirme pas son désir, mais il l'annule !

Un tel enfant risque plus tard d'avoir du mal à savoir ce qu'il veut. Il se demandera souvent ce qu'il faut faire, ce qui est bien ou mal, mais n'aura plus la moindre idée de ce dont il a vraiment envie... Il laissera souvent les autres orienter sa vie, il aura besoin de l'avis de Pierre, Paul et Jacques pour prendre ses décisions.

Quand l'enfant insiste, crie, hurle, fait une scène pour avoir sa glace, il affirme son désir, et c'est très important.

Bien sûr, c'est bruyant, éprouvant pour des parents fatigués de leur journée et/ou ayant oublié leurs propres colères. La violence risque d'être la réponse à la détresse de l'enfant, lui confirmant que l'expression de sa colère est malvenue et dangereuse.

Dire : « Si, j'en veux ! » c'est continuer d'affirmer que je suis là et que j'ai des droits. Si l'autre refuse, c'est son problème, mais moi je sais que j'ai le droit de désirer. L'enfant n'a pas toujours besoin que ses envies soient satisfaites, il veut juste qu'elles soient reconnues, que ses émotions soient entendues.

Le fœtus est nourri par le cordon, il reçoit automatiquement satisfaction de ses besoins nutritionnels. Il est dans la continuité de sa mère, il ne ressent même pas l'émergence de son besoin (tout au moins le croit-on à l'heure actuelle).

Après sa naissance, la nourriture ne vient plus si régulièrement. Il crie quand il sent un malaise dans son corps. Il ne sait pas encore l'identifier mais sa maman le nommera « faim ». Elle le nourrit. Il est rassasié. Il est bien.

Si sa maman ne vient pas, il crie plus fort. Il proteste parce qu'il veut sa venue. Sa colère est un appel, il insiste sur son besoin, et il cherche à faire venir sa mère, à rétablir le lien.

Trop souvent la colère est interprétée comme une mise à distance de l'autre. C'est le cas de la violence, mais la colère, c'est tout le contraire. C'est l'expression d'un besoin, une demande à l'autre en vue de rétablir un équilibre.

Une étape du travail de deuil

C'est aussi la première étape du travail de deuil. **Quand un enfant se met en colère parce qu'il ne peut avoir quelque chose, son émotion lui permet de se reconstruire et... d'accepter la frustration.** Certains parents se sentent exaspérés quand ils ont bien expliqué à leur enfant que quelque chose est rigoureusement impossible... et que ce dernier se met en rage. Ils ne savent pas que c'est une **étape nécessaire, naturelle et normale du travail de deuil** que l'enfant doit faire pour accepter. Pour mémoire (cet aspect est développé dans *L'Intelligence du cœur*), les étapes de l'acceptation sont :

1. Le déni
2. La colère
3. La négociation
4. La tristesse
5. L'acceptation

Ce sont des mouvements naturels et importants. L'acceptation passe par la colère.

Donner satisfaction avant de laisser émerger une demande risque d'empêcher l'enfant, d'une part, de sentir ses besoins et, d'autre part, de faire un sain apprentissage de la frustration. Une mère trop attentive à prévenir les moindres désirs de sa progéniture (ce sont davantage les mères que les pères qui tombent dans ce travers) peut rendre ardue la construction de son sentiment d'identité. La frustration, mesurée, est structurante. Heureusement, il est impossible de toujours satisfaire un enfant. Il arrive que tous les magasins soient fermés et qu'on n'ait plus de glaces en stock, il arrive qu'il n'y ait qu'un vélo pour deux, que l'assiette préférée soit cassée, que maman parte travailler, que le copain Julien soit chez ses grands-parents...

Une certaine dose de frustration est donc inévitable, elle est aussi utile à condition que les émotions et notamment la colère de l'enfant soient entendues.

Une frustration injuste, arbitraire ou trop importante peut se montrer destructrice.

Le nourrisson est dépendant de sa maman, il ne peut survivre sans elle. Si elle ne vient pas assez vite (quelques minutes !), c'est la terreur qui remplace la colère, la terreur de l'abandon, de la rupture du lien. Pour le tout-petit, le temps n'existe pas. Il est dans l'instant. Cinq minutes lui paraissent une éternité. Il n'a pas les moyens de se représenter ce qui retient sa maman. Au bout d'un certain temps, différent selon ses expériences antérieures, si personne ne vient, il se résigne. Il se tait, se replie. Son corps imprime quelque chose comme « je n'ai pas le droit », « je ne suis pas important », voire « je suis mauvais », car il lui faut bien trouver une explication au fait que sa maman ne s'occupe pas de lui. Il n'est pas encore capable d'élaborer une déduction consciente. Le processus reste inconscient, mais s'il est trop souvent répété, cette croyance peut le marquer toute sa vie.

Laisser pleurer seul un petit enfant, c'est le plonger dans des émotions terrifiantes.

Besoin/demande/satisfaction est la séquence qui doit être la plus fréquente pour que l'enfant intègre le sentiment que vous l'aimez, qu'il est important pour vous, que ses demandes sont recevables, qu'il est donc quelqu'un de bien, qu'il est en sécurité.

Il arrive que ses demandes ne puissent être satisfaites, il est fondamental que sa colère soit toujours entendue.

La confrontation d'une injustice

La colère sert aussi à la confrontation d'une injustice, c'est une réaction face à une invasion, c'est une protestation contre ce que nous ne voulons pas tolérer. La colère est au service de l'identité, elle permet de défendre son territoire, son corps, ses idées, ses valeurs, son intégrité. Elle donne la force de s'affirmer, de dire NON, de se sentir soi. Quelqu'un qui ne ressent pas et ne sait pas exprimer sa colère se sent souvent victime et impuissant dans la vie. Exprimer la colère est nécessaire pour sentir sa puissance, se faire respecter, faire face à la frustration sans être détruit par la souffrance du manque, rétablir l'harmonie dans les relations.

Harmonie est une déesse grecque, elle est la fille d'Arès et d'Aphrodite. Arès (Mars dans le panthéon latin) est le dieu de la guerre, du conflit. Aphrodite (Vénus) est la déesse de la beauté et de la communication. L'harmonie s'obtient par la confrontation et le dialogue et non par le silence et le déni de soi.

Si tu me refuses ce que je demande, quelque chose est cassé dans notre relation. Je me mets en colère pour que tu mesures à quel point c'est important pour moi. La colère vise à rétablir le lien ! Ne le brisez pas. Conservez le lien, restez présent, attentif, respectueux.

La plus grande confusion règne dans la plupart des esprits entre colère et violence. La violence est destructive, la colère en revanche est constructive. Nous manquons de vocabulaire pour clarifier cette distinction. Si le mot agressivité a une étymologie positive (aller vers), aujourd'hui sa connotation est nettement négative. Je conserve ici le vocable « colère » pour nommer la manifestation de l'agressivité biophile, celle qui est au service de la protection de la vie. La colère est affirmation de soi en face de l'autre, précision des limites à ne pas dépasser, refus de ce qui fait souffrir.

Du fait que nous ne savons pas gérer la colère, nous entrons dans la violence. La violence est très différente de la colère, en fait elle en est l'opposé. Ma colère ne parle que de moi, de mes besoins.

La violence parle sur l'autre, elle accuse, cherche à blesser, à détruire. Je ressens un besoin, je l'exprime et je n'obtiens pas satisfaction. Je ressens alors un vide à l'intérieur, il me manque quelque chose. Je suis mal. La violence est le résultat d'une tentative de protection contre l'intensité des affects par la projection sur autrui, l'attribution du malaise à l'autre par l'accusation.

Quand le malaise est trop intense, je commence à

avoir peur qu'il ne me détruise. Je tente alors de projeter sur autrui ma sensation, et j'accuse : « Tu es méchante ! » **La violence est en fait le résultat du refoulement de la colère**, de l'incapacité de tolérer en soi une charge affective forte, d'une accumulation de sentiments d'impuissance mais aussi de peur. Même si elle est en définitive toujours l'expression d'un besoin, elle le masque plus qu'elle ne le dévoile.

La violence est une ultime tentative pour faire entendre un message, mais le message est alors si déguisé que rares sont ceux qui le comprennent. Qui entend la détresse du lycéen qui attaque son professeur ? Qui entend le désespoir d'un jeune de banlieue qui tague et braque les riches ? Tous deux cherchent pourtant à attirer l'attention sur ce qu'ils vivent. Ils disent que leur quotidien est intolérable. Qui les écoute ?

La réaction de projection est un mécanisme de défense primaire universel. « T'es méchant(e) » signe la difficulté de l'enfant à tolérer le malaise de la frustration. Petit à petit, recevant l'attention adéquate, le respect de ses désirs et de ses besoins (et non pas leur satisfaction systématique), l'enfant n'aura plus besoin de projeter sur autrui. Il saura, parce qu'il l'aura expérimenté, qu'il peut être en colère et en sortir, qu'il n'est pas détruit par sa colère, qu'il n'a pas détruit le lien avec ses parents.

Si les parents hésitent souvent à écouter les colères, c'est qu'ils les inscrivent dans la dynamique d'un jeu de pouvoir. Ils se vivent en compétition avec leur enfant, et oubliant qu'ils ont un cerveau plus développé que le sien, entrent dans : « ce n'est pas toi qui commandes »,

« je ne vais quand même pas me laisser faire par un gamin »...

Du fait qu'eux-mêmes n'ont pas eu le droit d'exprimer leurs colères, leurs rages anciennes sont restées ancrées en eux, prêtes à ressortir, ce qui les terrifie. D'autant que, sous la colère, il y a la souffrance de l'enfant qu'ils ont été, la souffrance de ne pas être compris, de ne pas être entendu, de ne pas être aimé.

Réprimer la colère de l'enfant sert à maintenir le couvercle sur leurs propres émotions d'enfant, sur leur enfant intérieur.

La colère, outil de la gestion de la frustration, est non pas à gommer, mais à vivre, à sentir en soi, à traverser.

Il y a donc les colères saines, non violentes, structurantes, et les colères déplacées, excessives, violentes, destructrices. Les premières sont à écouter, les secondes sont à décoder. **Toutes sont à respecter, car toutes signalent un besoin.**

2

Décoder le besoin

Mon fils, Adrien, a manifesté sa plus grande colère aux alentours de dix-huit mois, dans la boutique de presse de la gare Montparnasse. Nous partions pour quelques jours de vacances. Il était quatorze heures, Adrien s'était endormi dans le taxi. Réveillé lors de l'arrivée à la gare, sa sieste avait été interrompue au bout d'une trop courte demi-heure. Immédiatement intéressé par son environnement, il a regardé partout sans exprimer à ce moment-là une quelconque désapprobation. Un peu en avance, nous sommes allés acheter des revues.

Dans la boutique, il a rapidement jeté son dévolu sur un sachet de bonbons trop chimiques à mon goût. Ne désirant pas les lui acheter, j'ai tenté de négocier. Je lui ai proposé toutes sortes d'autres choses, des petites voitures, des motos, en vain. Il a hurlé, s'est roulé par terre, se débattant si j'essayais de le toucher, il était « hors de lui ». Je ne l'avais jamais vu ainsi. Quelle attitude avoir ?

Lui acheter les bonbons aurait pu être une option,

elle m'est apparue plus destructrice qu'autre chose. D'une part, ils n'étaient vraiment pas sains pour son corps, mais surtout sa colère était si intense, si démesurée, qu'elle ne pouvait être liée aux bonbons. En les lui offrant, j'aurais court-circuité sa décharge émotionnelle. Il hurlait qu'il voulait les bonbons, en réalité il était à cran, il n'avait pas assez dormi et se montrait intolérant à toute frustration.

Tous les parents le savent, de grandes colères surviennent quand l'enfant est épuisé. Il n'a plus alors la capacité de gérer la moindre frustration. Il ressent en lui un vague mal-être (sa fatigue) et en cherche les raisons. Il saisira la première venue. Il n'aime pas la voiture verte, il veut un bonbon, il désire jouer avec l'ours que sa sœur tient en main, la soupe n'est pas bonne... Il lui faut trouver une raison sur laquelle focaliser son énergie et l'évacuer.

Les capacités neuronales sont dépassées. Une décharge tonique est inévitable. Elle est utile, l'enfant ne sait plus contenir l'excitation.

Le gronder ne serait pas approprié, il n'a pas la capacité de faire autrement. Interpréter la crise en lui disant : « Tu es fatigué » sera vécu comme une humiliation, avec pour seul effet de faire redoubler sa rage. Décodez le vrai besoin et aidez-le simplement à le satisfaire.

J'ai donc accompagné Adrien dans sa crise de rage, restant présente près de lui, le regardant. Dès que j'ai pu, je l'ai attrapé en évitant les coups pour l'aider à contenir son corps. Je lui ai parlé. Je me suis excusée d'avoir choisi un si mauvais horaire pour lui, de n'avoir pas su respecter son temps de sommeil, je lui ai dit qu'il avait raison d'être en colère.

Sa sœur ayant choisi un jouet, nous avons pris pour lui une petite moto. Il était incapable de choisir dans son état, mais il l'a adorée dans le train... après avoir achevé sa sieste interrompue ! Pas question, au moment où sa sœur ouvrirait son cadeau, de lui servir un « tant pis pour toi, tu n'avais qu'à te calmer » alors qu'il n'en avait pas la possibilité physiologique.

Sa colère paraissait excessive parce que déplacée sur des bonbons. Il a hurlé jusqu'à satisfaction de son véritable besoin : dormir, quelque cinq minutes plus tard.

Ne retirez pas de cet exemple qu'il est nocif de donner satisfaction à la demande formulée d'un enfant lorsqu'il est en colère.

Il arrive que la rage de l'enfant nous permette de mesurer à quel point il a envie ou besoin de ce qu'il demande. Nous pouvons, en fonction de cette nouvelle donne, réviser une décision et lui donner ce que nous avions refusé en premier lieu. N'ayons pas peur de paraître inconséquent. Là encore, à condition que cela ne soit pas systématique, l'enfant n'y voit qu'attention prêtée à ses besoins. Il n'y a de caprice que dans l'idée de l'adulte. L'enfant initie rarement un jeu de pouvoir avec ses parents. Quand nous décodons en thérapie ce type de jeu, le plus souvent le parent découvre sa responsabilité dans l'histoire. Il a involontairement commencé à se positionner dans le jeu en interprétant une demande de l'enfant comme une exigence, ou en usant de son pouvoir pour obtenir quelque chose. Il est bien naturel que l'enfant tente de résister, et c'est alors que de nombreux adultes en concluent : « Il me teste, il me pousse à bout. »

Je crois que l'enfant fait ce qu'il peut pour tenter d'attirer notre attention sur ses besoins. Il ne sait pas toujours bien formuler les choses, il ne sait pas toujours bien identifier ce qui se passe en lui, mais s'il est furieux, c'est qu'il se passe quelque chose.

Notre rôle d'adulte n'est pas de poser des limites autoritaires, comme on le dit trop souvent, mais de **les garantir**. Notre rôle est d'utiliser notre cerveau plus développé, notre intelligence, pour identifier le besoin de l'enfant, l'aider à canaliser son énergie, l'aider à restaurer son sentiment d'intégrité, à se réparer malgré le manque, ou à s'affirmer face à l'injustice.

3

Une réaction physiologique
à accompagner

La colère est une réaction physiologique de l'organisme. Décharge d'adrénaline, dilatation des vaisseaux sanguins, afflux de sucre dans les membres... Le petit enfant en colère est envahi par une immense énergie, il tape des pieds et des mains, se roule au sol. Tout petit, ses gestes sont désordonnés, pour ne pas se perdre, il a besoin d'être contenu. Pour ne pas avoir peur de ses propres cris, de sa douleur, de ses pulsions, il a besoin de pouvoir s'ancrer dans l'amour d'un parent présent, qui accueille les pulsions agressives et redonne de la tendresse, lui transmettant le message : « Ta colère n'est pas dangereuse. Tu vois, elle ne me fait pas mal, je continue d'être là et de t'aimer. Tu restes le même petit garçon (petite fille). »

Plus tard, au fur et à mesure de la maturation du cerveau, la colère envahit toujours ses muscles, mais l'enfant sait en repérer les véritables causes et les dire avec des mots. Il sait contenir ses impulsions dans le cadre de sa pensée, il n'est plus démuni devant son expérience intérieure car il a la capacité d'organiser son vécu, il peut donner du sens, élaborer mentalement à partir de ce qu'il ressent. Il est capable de mettre des mots sur ce qu'il vit, de s'exprimer verbalement.

Je fais l'hypothèse qu'un enfant correctement contenu et accompagné dans ses colères n'aura plus, devenu parent, d'impulsions violentes irrépressibles vis-à-vis de sa progéniture.

Nous pourrons vérifier ou infirmer cette hypothèse dans deux générations. Vu les difficultés assez généralisées des adultes d'aujourd'hui à gérer leurs colères de manière efficace et non violente, on peut penser qu'il serait temps de traiter différemment la colère des enfants !

Le tout-petit n'a donc pas encore les moyens d'organiser ses affects. Ces capacités se construisent peu à peu. Et elles sont facilement dépassées par la fatigue ou par une accumulation de tensions.

Les parents d'Anna ne comprennent pas. À la maternelle, il paraît que tout se passe bien, elle se montre souriante, concentrée, intéressée. Mais le soir elle est « infernale ». Elle pleure pour un rien, se met en rage pour un détail... Pendant toute la journée, il lui a fallu se contrôler, se conformer, rester assise, se montrer une bonne petite élève. Elle a accumulé des tensions sans oser dire ce qu'elle vivait. Le soir, quand elle retrouve ses parents, elle éclate. Elle leur « montre » tout ce qui n'a pas été dans la journée. Elle se décharge de tous les efforts de contrôle en les lâchant enfin. Elle ne sait pas encore identifier les causes de son énervement, encore moins le verbaliser. Elle a confiance en ses parents, elle peut prendre le risque de se montrer en colère, elle ne peut le prendre avec sa maîtresse.

Concrètement :

◊ Accueillir l'émotion.

C'est parfois difficile, surtout en public, mais pensez que vous travaillez pour son avenir ! Une colère écoutée dure quelques minutes au maximum.

◊ Accepter l'émotion, éventuellement la formuler en mots. Soutenir l'expression en renforçant par des petites phrases selon les circonstances : « c'est vrai que c'est injuste », « je comprends que tu te sentes en colère », « c'est dur d'accepter ça »... « tu es furieux parce que tu avais envie de venir avec moi ».

◊ Pour un enfant petit : contenir, maintenir le contact.

Les colères d'un enfant de deux ans sont fortes, bruyantes. Il vous repousse violemment quand vous essayez de le toucher. Tentez de vous éloigner, il hurle de plus belle ! Il vous court après, tente de mordre, de taper. Il cherche manifestement le contact. Contentez-vous de l'empêcher de vous faire mal et restez là, attentif. Dès que vous sentez que l'acmé de la crise est passée, tendez les bras. Il tendra les siens. S'il n'est pas encore habitué à cette manière de terminer une colère, prenez-le tendrement dans les bras en contenant ses coups, petit à petit il se laissera aller à un grand câlin rassurant. Il intégrera ainsi un sentiment de sécurité qui lui permettra de diminuer l'intensité de ses colères.

La colère donne le sentiment de sa puissance personnelle.

En se roulant par terre, il manifeste son impuissance. S'il reçoit la permission de s'exprimer, de crier, de faire du bruit... il reprend peu à peu contact avec sa puissance.

En hurlant, l'enfant se sent vibrer de rage. C'est un moment très important pour lui. Il est fondamental de le laisser faire SANS JUGEMENT, pas même admiratif ! « C'est une belle colère » n'est pas mieux vécu par l'enfant que « tu es vilain quand tu es en colère » ou « arrête ça tout de suite ».

N'en rajoutez pas ! Une colère entendue et respectée reste brève. Il n'est pas utile de la réactiver chez l'enfant lorsqu'on voit qu'il est passé à autre chose.

S'il est dépassé par la fatigue, un massage tendre l'aidera davantage à s'endormir que l'isolement forcé dans la chambre.

◊ Pour un enfant plus grand.

Lorsque la fureur l'envahit et le dépasse, invitez-le à aller la crier dans une autre pièce, ce peut être dans sa chambre, dans le salon, dans la salle de bains. Dans cette pièce, isolé des autres membres de la famille, il écoute sa rage, la sent en lui, l'exprime en criant, voire en tapant sur des coussins, jusqu'à ce qu'il rétablisse le calme en lui.

Cela n'a rien à voir avec le « va te calmer dans ta chambre » dit d'un ton autoritaire ou exaspéré. Ce n'est pas une mise à distance, c'est une manifestation de respect pour cette émotion qui a besoin d'un espace pour s'exprimer. Il ne s'agit surtout pas d'une punition, mais d'une technique que tous utilisent dans la famille. D'ailleurs, vous-même montrerez l'exemple, irez crier et vous calmer dans votre chambre ou dans la salle de bains. Dans certaines familles, il y a une pièce réservée à cet effet, dotée d'un punching-ball ou d'un tas de coussins. Une pièce insonorisée de préférence, dans laquelle on peut laisser libre cours à ses émotions, prendre du temps avec soi, réfléchir, méditer, se centrer.

En ressortant de cette pièce, l'enfant reprend sa place dans le cours de la vie familiale. Si sa colère concernait un membre de la famille, il est redevenu capable de faire une demande claire. Si sa colère était d'une origine autre, si elle était excessive, disproportionnée ou déplacée, il l'aura remise à sa place.

Quand un enfant est-il assez grand pour cette technique ? Certains y sont prêts à partir de trois ans, il faut en tout cas qu'il soit capable de se décentrer de lui-même, qu'il parle couramment et organise bien sa pensée. De plus, il ne peut y être prêt que s'il y a été préparé ! C'est-à-dire suffisamment contenu dans des bras accueillants pour pouvoir se contenir lui-même.

Si vous manquez d'espace vous pouvez vous contenter d'un « coussin de la colère ». Ce sera un coussin uniquement réservé à l'expression de la colère. Personne ne s'assied dessus ni ne l'utilise pour s'étendre. C'est le coussin sur lequel on tape, que l'on invective, qu'on lance contre les murs.

Quand il y a une tension dans la famille, trop de conflits entre enfants, on peut organiser une bataille de coussins. Après avoir écarté les bibelots, parents et enfants se répartissent en deux équipes face à face... et volent les petits coussins ! L'énergie est dégagée, le rire remplace vite la rage. La bataille rétablit la complicité.

4

Quand les parents sont en colère

Un jour, exaspérée, j'éclate, je secoue Margot en criant après elle. Elle pleure, puis se met en colère : « Tu n'as pas le droit maman ! »

Je me suis arrêtée instantanément. Elle avait raison, je n'avais pas le droit de la secouer ainsi, de lui faire peur. J'étais énervée, certes, mais ce n'était vraiment pas une raison pour la blesser. (Car c'est une grande blessure psychique de ressentir de la crainte face à sa propre mère.)

J'ai écouté ma fille. Ma rage est tombée, je me suis excusée et j'ai pris Margot dans mes bras pour la rassurer.

Un autre jour, je ne sais plus pour quelle raison je lui ai dit brutalement : « Qu'est-ce que tu es pénible ! »

Elle m'a regardée et a rétorqué : « Tu n'as pas le droit de me dire ça maman.

— C'est vrai ma chérie, tu as raison. »

Je me suis assise à côté d'elle et j'ai continué :

« Je n'ai pas le droit de te dire des mots cailloux[1].

---

1. J'aime cette formule expressive de Catherine Dolto-Tollich. Les mots doux sont doux et câlins, les mots cailloux sont durs et font mal.

Je l'ai dit parce que j'étais dépassée. Mais c'était mon exaspération ; j'aurais dû dire : "je suis exaspérée" au lieu de dire des choses sur toi. Si je te dis que tu es pénible, je te blesse, et ça ne va pas arranger mes besoins de calme. Excuse-moi. »

Personne n'est parfait, et nous avons une telle habitude de projeter sur autrui nos difficultés personnelles qu'il est illusoire d'imaginer que cela ne nous arrivera plus. Mais il est fondamental que l'enfant ait la permission de sentir et de dire que c'est injuste. Sa juste colère nous ramène alors à la réalité, nous pouvons prendre conscience de ce qui s'est passé en nous et nous excuser. Il n'y a pas de mal.

En revanche, si l'enfant ne peut ou n'ose répondre quand un adulte (ou un autre enfant) le dévalorise, le blesse, l'humilie, le ridiculise, s'il ne se met pas en colère, il reste dévalorisé, humilié ou ridiculisé, et peut porter cette blessure très longtemps.

Si le respect de l'enfant domine dans la relation, toutes les insultes lancées dans un moment d'exaspération ne vont pas automatiquement le traumatiser, mais un seul mot maladroit prononcé à une période sensible peut rester marqué des années. Autant ne pas prendre ce risque !

D'ailleurs, rester en contact avec ses émotions plutôt que de les projeter sur l'enfant permet au parent de rester centré dans sa personne, conscient de lui-même. **Paradoxalement, à vouloir attribuer à l'enfant les fautes, on s'épuise vite !**

Une juste colère qui parle de soi

Certains parents, de peur de traumatiser leur enfant, ne se mettent jamais en colère. Ils nient leurs besoins, refoulent leurs émotions. L'inconvénient majeur de cette attitude est que l'enfant prend alors inconsciemment en charge la colère non dite de ses parents et va l'extérioriser... sans savoir identifier d'où vient cette rage puisqu'elle ne lui appartient pas. Les enfants peuvent devenir de vrais tyrans, enragés à la moindre frustration. Contrairement à ce que l'on entend souvent, ce n'est pas faute de punitions ou de sévérité des parents, mais de refoulement de leur colère !

Nous pouvons, nous devons apprendre à dire JE. Faites seulement l'expérience une fois ou deux, et voyez ce qui se passe en vous, ce qui se passe pour lui.

Vous êtes en colère :

1. Sentez l'énergie colère en vous et laissez-la envahir votre corps. Restez bien dans la sensation du corps, sans partir sur des idées.

2. Identifiez la véritable cause de votre colère. Le comportement de l'enfant est un déclencheur, mais quelle en est la cause ? Vous vous sentez impuissant ? Vous avez peur du regard de la maîtresse, de votre fils ou de votre patron si vous arrivez en retard à l'école puis au travail ? Vous en avez assez de tout faire à la maison alors que votre mari prend son temps pour revenir de son bureau ? Votre mère vous a encore appelé en se plaignant de sa solitude ou de ses varices ? Vous êtes épuisé et vous aimeriez pouvoir aller regarder votre match à la télévision ?

Soit la simple conscience de la cause éteint instantanément votre colère en réorientant votre énergie vers qui de droit, verbalisez alors à l'enfant ce qui s'est passé en vous. Il apprendra ainsi à faire de même.

Soit la rage continue de se construire en vous et :

a) Elle ne concerne pas votre enfant, passez au point 3.

b) Elle s'adresse directement à votre enfant, allez au point 4.

3. Informez vos enfants que vous êtes en colère contre... donnez-leur la vraie raison, n'ayez pas peur de ternir l'image de votre compagne, compagnon, mère, père ou belle-mère... Protégez plutôt l'image d'eux-mêmes de vos enfants en évitant de leur attribuer ce qui ne les concerne pas.

Dites à vos enfants que vous avez besoin de quelques minutes d'isolement pour libérer votre colère, allez dans une autre pièce, au besoin les toilettes, et criez ! Eux aussi iront dans cette pièce quand ils en auront besoin. Installez-vous devant votre « coussin de la colère ». Visualisez en face de vous l'image de celui dont le comportement cause votre tourment. Criez, pleurez, en vous adressant à lui (elle) comme s'il était là, tapez au besoin sur le coussin pour décharger votre tension.

Il est très agréable et surtout libérateur de crier, de s'exprimer à pleine voix, à condition de le faire consciemment et non d'être dépassé par le surgissement incontrôlé d'une impulsion.

Si vous ne pouvez aller dans une autre pièce, soyez attentif à ne pas hurler en regardant vos enfants, prévenez-les : « Je suis très énervé, ce n'est pas votre faute, c'est à cause de... (vraie raison) mais j'ai besoin de crier mainte-nant. » Criez : « J'en ai marre, marre, marre... ! » en leur tournant le dos.

Une fois dégagé, prenez le temps d'en parler :

« Qu'est-ce que ça t'a fait quand j'ai crié ? Tu as eu peur ? Oui, ça fait peur quand quelqu'un crie. Mais tu savais que tu n'y étais pour rien ? Qu'est-ce qui m'a fait crier ? »

L'expression de la colère est un apprentissage important pour eux.

Corrigez les erreurs d'interprétation. S'ils disent : « Tu as crié parce que j'ai renversé le verre », répondez clairement la vérité : « Non. Je me suis mis en colère à ce moment-là, mais ce verre renversé était seulement une petite contrariété de plus. J'étais déjà énervé parce que le banquier n'a pas accepté de nous faire un prêt. Ça arrive à tout le monde de renverser un verre, ce n'est pas grave. Et tu n'y es pour rien si le banquier ne veut pas nous prêter d'argent. »

4. Vous êtes réellement en colère contre votre enfant. Vous voulez qu'il modifie un comportement qui heurte vos besoins. N'oubliez pas que là encore votre attitude est un modèle conscient et inconscient pour lui. Soyez particulièrement attentif à formuler vos besoins sans vous lancer dans des accusations. Voici la structure d'une phrase type :

Quand tu... *(comportement précis de l'autre)*
je ressens... *(mon émotion, mon sentiment)*
parce que je... *(mon besoin)*
et je te demande de... *(demande précise de comportement ici et maintenant qui me permette de réparer la relation avec l'autre)*
de façon à ce que... *(motivation pour l'autre)*

Ce qui donne par exemple :

Quand tu me demandes des pâtes, que je les cuis pour toi et que tu ne les manges pas,

je ressens de la colère

parce que je fais la cuisine pour toi et j'ai besoin que ce soit utile,

et je te demande de comprendre ce que je ressens quand je fais quelque chose pour toi et que tu ne le veux plus,

de façon à ce que je continue d'avoir envie de te faire ce que tu me demandes.

Quand tu laisses ta culotte sale par terre,

je suis en colère

parce que j'en ai assez de ramasser tes affaires, je préfère faire autre chose avec toi que de m'occuper de tes affaires sales,

et je te demande d'entendre mes sentiments et d'aller porter ta culotte dans le panier à linge sale,

de façon à ce que je me sente bien avec toi et que nous puissions jouer ensemble avec plaisir.

Malgré son apparente facilité, cette phrase est complexe et nécessite conscience de soi, mais aussi de l'autre. Tout d'abord, il n'est pas si facile d'identifier le comportement précis d'autrui sans entrer dans une généralisation, une globalisation ou un jugement. Les « tu n'écoutes jamais », « quand tu te tiens mal » et « quand tu es insupportable » viennent vite.

Ensuite, nous avons tellement peu l'habitude de formuler nos émotions que les mots manquent souvent pour dire précisément un ressenti. Nous pouvons être

tentés de mettre une émotion à la place d'une autre :
« Quand tu rentres à deux heures du matin, je suis en
colère » au lieu de « Quand tu rentres à deux heures du
matin, j'ai peur qu'il ne t'arrive quelque chose. » La
colère ici ne peut se justifier que s'il y avait un contrat
spécifique passé entre l'adolescent et ses parents. Mais
l'inquiétude est probablement dominante.

Pis encore, détecter son véritable besoin et l'exprimer est extrêmement ardu.

Faire une demande recevable ici et maintenant
sans entrer dans le futur et les promesses n'est pas si
simple.

Enfin, c'est tout un art d'écouter en soi les conséquences du comportement frustrant ou blessant sur la
relation et se centrer suffisamment sur l'autre pour le
motiver à satisfaire notre demande. Ce « de façon à ce
que... » peut avoir l'apparence du chantage, c'est seulement la réponse à la question :

« Qu'est-ce que ça changera pour moi, pour notre
relation, si l'autre accède à ma demande ? »

Il est important que l'autre y trouve un bénéfice,
sinon pourquoi accepterait-il de modifier un de ses
comportements ?

Cela dit, les trois premières phrases sont souvent
suffisantes : Quand tu..., je ressens..., parce que je...

« Quand tu tapes ton frère, je suis en colère parce
que je n'aime pas que quelqu'un ait mal ! »

« Quand tu entres avec tes chaussures pleines de
boue, je suis en colère parce que je viens de nettoyer ! »

L'exigence de cette phrase nous empêche d'abuser.
Elle nous confronte à nos limites. En effet que trouver
comme raison à :

« Quand tu refuses de m'obéir, je suis en colère, parce que... parce que j'ai besoin de me sentir plus forte que toi ? »

« Mon fils, quand tu portes des boucles d'oreilles, je suis en colère parce que je... j'ai peur du qu'en-dira-t-on ? »

Je ne puis me montrer en colère que pour quelque chose qui me concerne. Sinon, cela devient du contrôle.

Tout cela nous demande de l'exercice. N'en voulons donc pas trop à nos enfants quand ils nous disent « t'es méchante ». Décodez, ils sont en train de nous dire :

« Quand tu me demandes d'éteindre la télévision, je suis fâché parce que j'avais envie de regarder le film. »

Apprenons-leur par l'exemple à formuler leur colère...

5

Quelques trucs pour éviter la violence à l'instant où vous avez envie de frapper

◊ Respirez profondément pour revenir à vous-même et ne pas être « hors de vous ».

◊ Vous savez que vous avez le droit d'avoir *envie* de frapper mais pas de passer à l'acte. Écoutez votre envie : « J'ai envie de lui fracasser la tête avec un marteau »... Éventuellement visualisez la chose sur un écran mental.
Vous pouvez le verbaliser à l'enfant : « J'ai envie de te frapper. Je ne le ferai pas parce que je ne veux pas te faire du mal. Je n'ai pas le droit de te taper, mais j'ai le droit d'en avoir envie. »

◊ Écoutez votre besoin. Donnez-vous les moyens de le satisfaire, ou projetez cette satisfaction dans le futur.

◊ Centrez-vous sur l'enfant et prenez conscience de ce qui se passe en lui, de ses besoins, éventuellement de ce qui a causé son comportement.

◊ Revoyez-vous enfant au même âge et prenez conscience de ce que vous ressentiez à l'époque.

◊ Rappelez-vous l'amour que vous lui portez en évoquant des images de bonheur avec lui. Sa naissance par exemple, votre éblouissement devant ses premiers pas, le jour où il vous a fait un cadeau à la fête des Mères (Pères)...

◊ Passez le relais à votre conjoint !
Si vous élevez seul(e) votre enfant, téléphonez à un ou une ami(e) pour permettre à la pression de baisser en vous.

6

Il est colérique ?

Une mère m'amène son fils. Stéphane est en CE2. En classe, il se montre agressif, il répond aux maîtresses, les parents se plaignent de lui car il frappe leurs enfants.

Mon analyse ? Un de ses besoins n'est pas satisfait. Il y a toujours une intention positive derrière un comportement. Stéphane tente de communiquer quelque chose, probablement de l'ordre du manque, de la frustration, de l'injustice.

Après un court entretien, il apparaît tout d'abord que Stéphane s'ennuie copieusement dans sa classe. Il a dix-neuf de moyenne ! ! !

Pourquoi devrait-il accepter sans regimber de rester assis pendant des heures à écouter des cours qui ne sont pas de son niveau ? Lui, personne ne l'écoute, ni ne se montre attentif à ses besoins ! Les tensions s'accumulent, il doit leur trouver une issue. Il aurait pu se déprimer ou se bloquer dans ses apprentissages, opter donc pour l'autodestruction, il choisit (inconsciemment) de détourner ses impulsions destructives vers l'extérieur.

Stéphane a un frère aîné de trois ans de plus que lui qui l'inclut dans ses jeux. Il est accepté par les copains qui viennent le chercher pour jouer avec eux, même quand son grand frère n'est pas là. Jamais il ne se bat avec eux.

Stéphane est « grand » avec les copains de son frère. Avec ceux de sa classe, il se sent petit. Or personne n'aime à se sentir petit. Non seulement Stéphane s'ennuie mais il est contraint de vivre avec un groupe d'enfants qui l'appellent à la régression. Il les déteste de cela.

Qu'est-ce qui a fait maturer Stéphane si vite ? Qui l'a incité à foncer dans l'intellect, à devenir le meilleur à l'école et à se rapprocher ainsi de son grand frère ?

Stéphane n'a pas vu son papa depuis plusieurs années. En manque de père, son grand frère fait office de substitut. C'est son guide. Aux enfants de son âge, il reproche de ne pas être des pères, et probablement d'avoir, eux, des pères ! L'agressivité cache toujours des manques.

Le père a enfin téléphoné. Il habite loin. Mais Stéphane sait maintenant qu'il va le revoir pendant les vacances. L'impact de ce coup de fil est immédiat. Il se montre nettement moins agressif. Il est sécurisé. Son père l'aime.

Hélas, nombre de pères séparés ne téléphonent pas très souvent, parfois disparaissent totalement de la vie de leur enfant. C'est très dur à vivre pour ce dernier. Pour qu'il ne se détruise pas en se dévalorisant ou en déprimant, ni ne projette ses impulsions agressives sur autrui, il a besoin de pouvoir verbaliser son manque, partager ses sentiments de peur, de colère, et de tristesse, peut-être de culpabilité. Il a besoin de libérer son désespoir dans les bras de quelqu'un, pour faire peu à peu le deuil de cette perte.

Quand une agressivité semble gratuite et sans objet... l'objet est à rechercher un peu plus loin.

Le clair de terre sur la lune [1]

Philippe et Catherine m'amènent leur fils. Fulbert a deux ans, c'est l'âge des colères, mais tout de même, il se montre excessivement colérique. Ses rages sont multiquotidiennes et durent jusqu'à plus d'une heure, les parents n'en peuvent plus et ont décidé de consulter.

En posant quelques questions sur l'histoire de Fulbert et de ses parents, notamment sur les conditions de sa naissance, j'apprends que la mère de Catherine est décédée pendant la grossesse. En explorant davantage, il apparaît que le deuil est loin d'être fait. Lors du décès de sa mère, Catherine s'est sentie envahie de désespoir. Sa mère était partie sans jamais avoir été une vraie maman. Catherine n'avait jamais pu se mettre en colère contre elle, et n'a donc pas pu entrer dans la phase de révolte du travail de deuil. Elle a réprimé, refoulé sa rage et son désespoir...

Comme tous les petits enfants qui aiment leur maman et ne peuvent supporter de la voir souffrir, Fulbert a pris en charge ses émotions non dites. Les enfants sont de véritables buvards. Ils absorbent les

---

1. La terminologie est d'Alain Crespelle. Il a été mon premier psychothérapeute, mon professeur et mon modèle pendant des années. Il est décédé en 1999, je lui rends hommage ici en utilisant ces mots qui évoquent si bien le reflet de nos émotions dans les comportements de nos enfants.

colères, les peurs, les tristesses, les tensions non exprimées de leurs parents. N'étant pas informés de l'origine de leurs sensations, ils l'attribuent à quelque chose de leur environnement et « se mettent en colère pour rien ». Pour rien ? Pour évacuer la tension d'un non-dit, d'une émotion non reconnue, non assumée de ses parents.

Catherine a parlé à son fils. Elle lui a dit, clairement, ce qu'elle avait vécu lors du décès de sa mère et comment il avait pu se sentir responsable de ses émotions refoulées, et surtout : « Tu n'as pas à prendre en charge ma colère, mes émotions. Je vais m'en occuper. » Fulbert a écouté. Ses irrépressibles et interminables colères ont cessé, à la stupéfaction, mais aussi au soulagement de tous.

Elle a décidé de faire le deuil de sa mère en thérapie. Sur les coussins, elle a exprimé sa rage, ses frustrations, ses souffrances... Elle a regardé la réalité de ses parents, posé un autre regard sur elle-même, s'est restaurée dans sa personne. Fulbert, dégagé du poids de l'inconscient de sa mère, a pu exprimer ses propres colères.

Un enfant est particulièrement colérique alors qu'aucun manque, ou aucune injustice, ne semble troubler sa vie ? Ce peut être l'expression d'une colère refoulée de ses parents. Le parent est d'autant plus démuni face à cette émotion qu'il la refuse en lui et qu'il trouve un bénéfice inconscient à ce que son enfant l'exprime.

En résumé, les colères sont nombreuses, excessives ou semblent gratuites ?

Il s'agit :

◊ d'une accumulation de tensions,

◊ d'une colère déplacée,

◊ de l'expression d'une colère inconsciente ou non dite d'un parent,

◊ d'une autre émotion (peur ou tristesse) camouflée sous des apparences de colère parce que l'expression de la véritable émotion est impossible ou interdite : « Tu es un grand garçon », « C'est les filles qui pleurent », « Tu ne vas quand même pas avoir peur ! », etc.

La réponse à la colère, c'est l'écoute, le respect, l'empathie.

VI

LA JOIE

Dimanche 11 juillet 1998, vingt-deux heures trente-sept, c'est l'explosion dans toute la France. « On a gagné ! » L'équipe de France est championne du monde. Sur le terrain, les footballeurs s'embrassent, se serrent dans les bras, se congratulent et s'abattent sur le joueur qui vient de marquer le dernier but. Dans tout le pays, les gens descendent dans la rue. Les Champs-Élysées sont noirs de monde. Tous chantent, hurlent, sautent, dansent, s'embrassent, agitent des drapeaux, célèbrent l'événement en sabrant le champagne ou la bière. La joie, ça se vit ensemble, ça se partage !

La joie est l'émotion qui accompagne réussite et amour. Elle est expansive, elle nous propulse dans les bras les uns des autres. Peut-être est-ce pour cela qu'elle est si suspecte ?

L'aptitude à la joie est une dimension importante de l'intelligence du cœur... et du bonheur.

1

Peut-on apprendre à être heureux de vivre ?

Roland, quarante ans, a du mal à vivre. Il se sent déprimé, las de tout. Il a du mal à prendre des décisions, et même simplement à sortir de chez lui. Il rit peu, ne sait plus s'amuser. Il me parle de lui, du jugement permanent de son père, de la surprotection de sa mère... et de la mort de son frère. Patrick avait un an de plus que lui. Il est décédé à l'âge de dix-neuf ans. Sur le moment, il n'a pas pu intégrer ce décès. Comment peut-on mourir à dix-neuf ans ? C'est impossible. Sa vie a continué sans qu'il réalise qu'une partie de lui était restée en arrière. Il n'a toujours pas accompli le travail de deuil. Un travail quasi impossible à faire parce qu'impliquant trop de remise en cause personnelle. Les parents les traitaient comme des jumeaux, ils se ressemblaient, portaient des vêtements identiques. Du jour où Patrick est mort, les rires ont été bannis des rencontres familiales. « Comment peux-tu rire alors que ton frère n'est plus là ! » Roland a vite compris que toute joie, toute vie, lui était désormais interdite.

Comme Roland, de nombreuses personnes entreprennent une psychothérapie pour retrouver le goût de vivre. La joie est absente de leur quotidien.

Que peut-on faire pour qu'un enfant conserve son aptitude naturelle à la joie ? Tout d'abord être attentif à ne pas la réprimer comme l'ont fait les parents de Roland, puis construire sa propre vie de manière à être le plus heureux possible soi-même, aimer et se réaliser.

Quand les enfants doivent prendre en charge les tristesses, les frustrations, les sentiments d'insatisfaction de leurs parents... ils ne sont pas libres d'être heureux.

Je rencontre trop d'enfants d'une douzaine d'années que la vie n'intéresse déjà plus. Leurs parents sont souvent absents, harassés de travail, stressés au quotidien. À quoi bon vivre quand il n'y a pas d'amour ou pas de joie autour de soi ?

La Coupe du monde de football de 1998 nous a fait redécouvrir la joie. Les sondages ont montré que le moral des Français s'était nettement amélioré dans les semaines qui ont suivi le match. Pourtant, même si la reprise économique semblait s'amorcer, il n'y avait pas eu grand changement dans le quotidien de la plupart des gens... si ce n'est leur manière d'aborder l'existence.

Il est de la responsabilité des parents d'être heureux, de transmettre ou tout au moins de ne pas altérer l'appétit de vie de l'enfant. Être heureux est un choix. Il ne s'agit pas de faire semblant, de sourire toute la journée en taisant les difficultés, mais d'affronter la réalité avec cœur. L'explosion de joie de la Coupe du monde n'est pas un hasard tombé sur la France. C'est le résultat d'un travail au quotidien de chaque joueur, du courage d'un entraîneur qui a poursuivi sa route malgré les critiques, de la détermination de tous.

Comment mettre toutes les chances de son côté pour « gagner » dans sa vie ? Sûrement ne pas la perdre à la gagner, mais choisir un travail qui a du sens, écouter toujours la voie/voix de son cœur plutôt que celle d'une soi-disant raison qui est souvent déraisonnable.

Est-il raisonnable de rester mariée à un homme que l'on n'aime plus et de faire un cancer pour échapper à une situation qui devient intolérable ?

Est-il raisonnable de reprendre l'affaire de papa alors qu'on aurait aimé faire tout autre chose et de mourir d'un infarctus à quarante-cinq ans ? Ou encore de souffrir atrocement du dos pendant de longues années parce qu'on continue à porter un poids qu'on ne veut pas déposer pour ne pas remettre en cause ses parents ?

Tous les affects refoulés, les nœuds émotionnels et les blessures non guéries empêchent l'accès à la joie. Libérez les émotions, laissez parler les détresses, pleurez les larmes, criez les colères... et la joie renaîtra, tant elle est la nature profonde de l'humain. **Il y a de la joie à simplement se sentir vivre.**

La vie n'est pas un long fleuve tranquille, mais la joie ne surgit pas non plus de la tranquillité. S'il est vrai qu'elle nous pénètre volontiers alors que nous contemplons calmement un coucher de soleil, elle naît aussi de l'effort couronné du succès, de la rencontre après la séparation.

Valoriser, encourager

Comment aider nos enfants à conserver leur aptitude à la joie ? Les féliciter, les encourager. Plutôt que de vous concentrer sur ce qu'ils font de mal, surveillez-les... et surprenez-les en train de faire quelque chose de bien !

Il a réussi à monter tout seul en haut de l'armoire ? Bravo !

C'était interdit ? Bien sûr ! Mais parce que c'était dangereux et que vous ne saviez pas qu'il en était capable sans se blesser. S'il montre qu'il a su le faire sans se faire mal, félicitez-le donc !

Quelle que soit la discipline qu'il choisira pour devenir champion : sport, musique, mathématiques, lettres ou sciences, vous serez heureux de le voir oser et réussir. Préparez ces succès dès aujourd'hui !

N'ayez pas peur qu'il s'endorme sur ses lauriers. Je n'ai jamais vu quelqu'un s'endormir sur des lauriers ! Le succès donne en général envie d'aller plus loin. Les lauriers sont des encouragements à continuer. C'est l'échec qui nous freine. La peur de l'échec qui endort nos performances.

Aidez-le à se sentir fier de lui, même dans les petites choses. Qu'est-ce qui fait la différence entre celui qui deviendra un champion olympique et un autre ? La fierté, la joie ressentie du succès. Le futur champion est celui qui se réjouit de ses minuscules réussites. Interrogées, nos stars du sport se rappellent :

« Tout petit, j'ai sauté deux marches d'escalier d'un coup ! Je me suis dit : "Ouais, super ! Et maintenant trois marches. Ouais ! Bravo ! quatre..." »

Et ainsi de suite. La réussite entraîne la motivation pour un nouveau challenge. Ceux qui ne ressentent pas ce sentiment de fierté, qui minimisent leurs exploits (c'est fastoche...) n'ont pas le moteur pour persévérer.

Sortir du culte de la souffrance

Apprendre et se dépasser est toujours source de joie. Que ce soit sur le plan physique ou sur le plan intellectuel. L'humain est curieux de nature. La soif d'apprendre est réelle, il s'agit d'un véritable besoin de connaissance, de compréhension, de sens.

Mais nous avons appris que la curiosité est un vilain défaut ! Nous avons appris que tout apprentissage est ennuyeux et s'accomplit dans le labeur et la souffrance !

Pourtant, toutes les études le montrent, on apprend nettement moins bien sous la contrainte que dans le plaisir, moins bien dans la concentration assis sans bouger, la tête penchée sur les livres, que dans la détente et la relaxation, tête en l'air !

L'enfant est trop heureux à l'école ? Ses parents se disent qu'il ne travaille pas sérieusement. Pourtant les méthodes d'apprentissage les plus performantes passent par le jeu ou le théâtre ! Le seul défaut de ces méthodes ? Elles paraissent trop ludiques et donc inefficaces aux parents et même à certains professeurs !

Les épreuves viendront en leur temps. Ce qui arme réellement face à l'épreuve n'est pas la capacité à se soumettre et à se contraindre comme voudraient le faire croire certains mais l'aptitude à voir les choses du bon

côté, à rire, à rester en contact avec ses ressources inté-
rieures, à inventer des solutions. Si les clowns investis-
sent aujourd'hui les hôpitaux pour enfants, ce n'est pas
par hasard. Ils soulagent la souffrance, détendent par le
rire, et soutiennent la guérison en aidant les enfants à
rêver, à imaginer.

2

L'amour

La joie est l'émotion du succès, c'est aussi celle de l'amour, de la rencontre et des retrouvailles, de la relation.

Osez prononcer plus souvent des mots doux :

« Qu'est-ce qu'on est bien ensemble. »

« Je suis vraiment heureuse de vivre avec vous. »

« J'adore prendre mon petit déjeuner avec vous trois. »

Quand je dis ainsi mes joies et mon bonheur, je me sens plus heureuse encore, et je vois combien cela fait plaisir à toute la famille. Je note à voix haute ce que je me dis à l'intérieur. « C'est bon d'être heureux », et nous dégustons tous ensemble ce bonheur qui passe.

Quand on est par trop absorbé par la lessive, la vaisselle, l'aspirateur, les devoirs, le raccommodage, on oublie cette nécessité quotidienne, ce minimum d'hygiène relationnelle comme le dit Jacques Salomé. **Mais les poussières émotionnelles peuvent s'accumuler, elles font de sacrés moutons dans les cœurs et déclenchent des allergies aussi sûrement que les acariens !**

Qu'il est bon de s'asseoir (ou de courir) avec ses enfants, sans projet, pour simplement sentir passer la vie en soi.

Parfois, le comportement de mes enfants m'exaspère, j'ai du travail à terminer, je suis pressée qu'ils s'endorment, je suis tentée de m'énerver à la moindre demande... Alors, je respire, je les regarde, et je me dis : « Ils ont quatre et deux ans. Ils vont grandir, ils n'auront plus jamais quatre et deux ans. Profite ! »

Mon cœur fond. Je les observe et je les aime. L'énervement a disparu parce qu'ils sont plus importants pour moi en cet instant que les dossiers qui restent en attente. Lorsque je serai très vieille, je me retournerai sur mon passé, je ne veux pas réaliser un peu tard que je n'aurai pas pris le temps de les voir grandir. Alors, je les regarde grandir et mon cœur est rempli de la simple joie de vivre ensemble.

3

Jeux, cris et rires

« Arrêtez de crier ! Taisez-vous ! Faites moins de bruit ! Qu'est-ce que c'est que ce cirque ? »

Les adultes tempèrent les ardeurs joyeuses des gais lurons. Pourquoi donc ? Quand les enfants auront grandi, quand ils auront quitté la maison, les parents se prendront à regretter le temps où retentissaient rires joyeux, cavalcades effrénées dans les escaliers et hurlements de jubilation.

Un enfant a besoin de se sentir joyeux, pour se sentir libre d'exister et de grandir. Comment avoir envie de grandir dans un monde triste ? Comment avoir envie de devenir un adulte toujours sérieux qui ne sait même plus jouer et rire ?

Invitée chez des amis, j'accompagne Adrien et Margot dans la chambre des enfants et me voilà sur la moquette à faire vroum vroum avec un avion. Il y a là de superbes jouets, des voitures transformables, des « Batman » et autres monstres de l'espace que je ne connais pas. Je découvre, m'exclame, manipule chaque jouet et le fais rouler ou voler. J'y prends un vrai plaisir.

Un petit garçon de six ans m'observe, halluciné. Il a beaucoup de mal à cesser de me vouvoyer et à quitter le « madame » pour m'appeler « Isabelle ». Au bout d'un moment il craque : « Tu joues ? Mais vous êtes une adulte ! Les adultes ne jouent pas !

— Eh bien si, tu vois. Il y a des adultes qui jouent. Moi j'aime bien jouer.

— Mon père et ma mère, ils jouent jamais. »

Quel dommage. Jouer, c'est pénétrer le monde des enfants, c'est naviguer avec eux dans l'imaginaire, les rencontrer sur leur terrain, « on dirait que je serais la marchande et toi tu m'achèterais des choses... ».

Certains disent que ce n'est plus de leur âge. En réalité, ils seraient mal à l'aise, se sentiraient ridicules, vulnérables. Ils refusent la tentation de la régression. Ils seraient confrontés à l'intimité avec leurs enfants, à leur propre passé, à leurs émotions de petit garçon ou de petite fille. S'ils jouaient, s'ils osaient entrer dans le monde imaginaire des enfants, s'asseoir par terre et faire du bruit avec eux... ils risqueraient de prendre contact avec une immense souffrance à l'intérieur d'eux. Car se réveillerait la détresse du manque. Ils n'ont pas reçu cela de leurs propres parents, peut-être même n'ont-ils jamais eu le droit de jouer, de rire, de courir en criant, de faire du bruit. Peut-être ont-ils tant manqué de tendresse et/ou de jouets qu'ils ne peuvent encore aujourd'hui prendre dans les bras une poupée ou un ours et le câliner.

Il nous faut guérir nos enfances blessées pour accéder à la capacité de jouer à des jeux simples d'enfant, nous donner la permission de lâcher le contrôle, nous rendre la liberté de rire, de se mouvoir dans l'imaginaire, de se rouler par terre.

Rire n'est pas juste un plaisir, c'est un réflexe de santé physique et psychique. Le rire libère les tensions du diaphragme. C'est un excellent exercice de relaxation. Une bonne dose de rires pourra éviter bien des pleurs. Organisez des parties de cache-cache, de bagarres de polochons, pour éclater de rire ensemble.

L'enfant existe d'abord dans sa relation à l'autre et **sa joie sera d'abord celle du partage, c'est une joie d'être avec.** L'enfant rit du partage, de la rencontre avec autrui. C'est ce qui fait le grand succès des jeux d'apparition et disparition.

Le tout-petit sait rire *avec* autrui, il ne connaît pas encore le rire *de*. Ce dernier distancie. Il n'est plus de joie mais de sensation de pouvoir, parce que la joie de l'intimité est perdue. En riant de..., on se solidarise autour de la diminution d'un tiers. La moquerie est issue d'un sentiment d'infériorité, c'est une souffrance, une humiliation subie qui cherche revanche et réparation à travers le sentiment de supériorité conféré par le pouvoir de blesser autrui. Cette ivresse de puissance n'est qu'une illusion de joie. La moquerie est toxique pour l'enfant qui la profère, tout autant que pour celui qui la subit. Les mots cailloux sont durs et font mal autant à celui qui les reçoit qu'à celui qui les envoie. Les adultes devraient se préoccuper davantage de cette forme de violence.

L'enfant rit avec vous, dans le contact physique, dans la complicité, dans la relation, dans l'amour et la tendresse.

L'enfant éprouve des joies purement physiques (plaisir d'expérimenter avec son corps, joie de manipuler de la terre, de l'eau, des objets, joie du câlin et des

chatouilles, de l'expérience de ses propres mouvements), des joies plus intellectuelles, plaisir d'apprendre, de connaître, de partager, de poser des
questions.

Le petit enfant est émerveillé de découvrir ses possibilités. Ses acquisitions sont sources de joies intenses,
de grandes fiertés qui lui procurent du bonheur et qu'il
convient de partager.

4

Accompagner la joie

Partager, sourire, rire, crier, s'exclamer, embrasser, prendre dans les bras, tels sont les verbes de la joie.

N'ayez pas peur de faire du bruit. Manifestez vos propres joies bruyamment, en criant, en sautant, en serrant vos enfants contre vous, en les faisant sauter en l'air. La joie, c'est un échange physique. Rappelez-vous les footballeurs français lors du coup de sifflet final de la Coupe du monde signant leur victoire !

Nous pouvons aussi les éveiller aux joies esthétiques, leur apprendre à voir la beauté :

« Regarde, maman, la lune, comme elle est belle ! » est si doux dans la bouche d'un petit.

Nommez ce que vous voyez autour de vous. Partagez. Vous obtiendrez en gratification ce genre de question profonde et délicieuse comme celle qu'Adrien à dix-neuf mois, en pleine période de « pourquoi », m'a adressée un soir d'orage à vélo alors que nous contemplions les éclairs au loin qui déchiraient le ciel :

« Dis maman, pourquoi le soleil il éclaire et c'est pas un éclair ? »

L'amour et la joie sont le terreau de la croissance de l'individu. On ne peut dire trop de « je t'aime » et de « je suis heureux de vivre avec toi ».

Ne galvaudez pas ces mots doux, dites-les autant que vous le désirez, plusieurs fois par jour, mais toujours en regardant votre aimé dans les yeux ou en établissant un contact physique, en étant en contact avec le ressenti d'amour et de tendresse.

Un « Mais oui, je t'aime » sans lever les yeux de la vaisselle ne remplit pas le cœur de joie de celui qui le reçoit.

On ne peut bien sûr être joyeux en permanence, et il ne s'agit surtout pas de faire semblant. Mais si vous n'êtes pas joyeux au moins quatre-vingts pour cent de votre temps d'éveil, c'est qu'il y a quelque chose à changer dans votre vie.

Des nœuds émotionnels plus ou moins anciens vous interdisent le bonheur ? Dénouez-les ! C'est de votre responsabilité de parent. Sinon vos enfants vont inconsciemment se mettre au service de vos souffrances enfouies, même (et surtout) si vous ne leur en parlez jamais. Les enfants sont prêts à abdiquer beaucoup de leur personnalité pour tenter de ramener le sourire sur le visage d'un parent trop triste ou trop souvent en colère.

Cherchons en nous-mêmes des sources de joie intérieure. Ne nous laissons pas enfermer dans la déprime, la routine ou le sérieux. Il n'est pas si compliqué d'être heureux. On peut l'être malgré des circonstances extérieures difficiles. Si nous n'y arrivons pas seuls, nous pouvons nous faire aider.

Un parent empli de joie intérieure la transmet à

ses enfants, et c'est le plus bel héritage qu'ils puissent recevoir.

C'est en augmentant le niveau de joie dans les familles et dans les écoles que nous pouvons accompagner nos enfants sur une route de croissance et de plaisir de vivre.

Il suffit d'un rien. Une pâquerette, un marron par terre, un pâté de sable, un petit cadeau surprise, des bougies pour le dîner, un lancer de ballons, des bulles... de l'amour, de la tendresse.

VII

LA TRISTESSE

Le visage de Pomme (quatre ans) se ferme, ses lèvres se serrent, son front se plisse, les larmes perlent, et soudain c'est l'explosion des sanglots. Accompagnée par sa maman qui lui tient la main, Pomme regarde son chat qui ne bouge plus sur le coussin. Il était très malade. Il est mort. Elle pleure longuement avec sa maman en le regardant. Au revoir Jules !

La tristesse est l'émotion qui accompagne une perte.

Il est naturel d'être triste lorsque l'on perd son chat, un animal, un être cher, mais aussi un jouet, une maison, un jardin, une école... **Pleurer permet d'expulser les toxines libérées par la peine.**

1

Les larmes nous émeuvent

Adrien joue dans la voiture avec un petit personnage. Il se dispute avec sa sœur, frappe son jouet contre le siège... et le casse. Il considère son petit bonhomme brisé et éclate en sanglots.

« Arrête, tu nous casses les oreilles ! » hurle sa sœur.

J'interviens :

« Il a le droit de pleurer », et je m'adresse à lui : « Tu es malheureux de voir ton personnage tout cassé, pleure. »

Quelle douleur pour un petit garçon. Il chérissait ce petit objet, et l'a cassé dans un geste maladroit.

Mais nous supportons mal les pleurs d'un enfant :

« Ne pleure pas ! »

« C'est pas grave, je t'en achèterai un autre. »

« Allez, tu verras, tu t'en feras d'autres des copains ! »

« Voyons, t'es un grand garçon, allez, sèche tes larmes, on dirait une fille ! » Etc.

Les larmes de nos enfants nous émeuvent. Pour

nombre de gens, elles sont synonymes de douleur. Si l'enfant pleure, il a mal. Est-ce à dire que s'il ne pleure pas, il n'a plus mal ? Nous sommes dans la pensée magique !

Les pleurs sont les témoins du travail de réparation de l'organisme après une perte. Les larmes soulagent, guérissent. Ce qui est paradoxal, c'est que ce sont ces mêmes personnes qui tentent de consoler leur enfant et qui, un autre jour, débordées par les larmes, éclateront elles-mêmes en sanglots et diront après l'explosion :

« Ça fait du bien de pleurer. »

Oui, ça fait du bien de pleurer, et surtout de pleurer dans les bras de quelqu'un qui sait écouter les larmes sans les stopper, de pleurer devant un témoin qui sait accueillir sans juger, sans conseiller, sans baisser les yeux.

Nous n'avons pas été autorisés à verser des larmes quand nous avions l'âge de nos enfants, alors nous cherchons à faire cesser les leurs.

Honnêtement, que désirons-nous ? Qu'ils ne souffrent pas, ou ne pas les voir souffrir ?

« Ne pleure pas »

signifie en réalité :

« Prends-moi en charge, j'ai mal quand je te vois pleurer, alors arrête de me mettre dans l'embarras. »

Les besoins de l'enfant passent alors au second plan.

Pourtant les larmes sont utiles pour ne pas garder la tristesse au fond de soi. **Une tristesse qui ne peut être pleurée va rester bloquée des années.**

Un enfant qui ravale ses larmes pour faire plaisir à sa maman ou à son papa va conserver sa douleur au profond de lui, la majorant d'une pincée de solitude et de non-adéquation de ses sentiments vrais. Il aura peut-être l'air d'un « vrai mec » mais, devenu adulte, il se sera endurci au point de ne pas comprendre les larmes de sa femme ou de ses enfants et ne saura plus rire et s'amuser sans avoir bu un verre de vin...

Les larmes enfermées bloquent le passage vers l'amour. Pourquoi la nature nous aurait-elle dotés de larmes si elles étaient inutiles ?

Il est neuf heures au poney club, c'est l'heure du rassemblement de tous pour choisir chacun son activité et sa monture. Les enfants sont tous assis. La directrice les invite à respirer profondément, et le silence se fait. Elle commence à parler :

« Aujourd'hui quelque chose de très triste s'est produit. Pedro, le shetland bai, est mort. Il s'est battu cette nuit avec d'autres, il a reçu un coup de sabot sur la tête au mauvais endroit. Il en est mort. »

Des enfants ont les larmes aux yeux, elle continue :

« Parfois il y a des événements joyeux, parfois des événements tristes. Ici on a des naissances, mais aussi des morts. C'est la vie. »

Des enfants pleurent. Certains étaient déjà allés le voir.

« Vous avez le droit de pleurer. Pour ceux qui le désirent, nous irons voir le poney par petits groupes. Ceux qui n'ont pas envie de monter et préfèrent rester le veiller peuvent le faire ce matin, le corps sera emporté à midi. »

Les enfants ont défilé auprès du corps du petit cheval avec un grand respect. Certains sont allés spontanément cueillir des fleurs. Bientôt le poney allongé dans son box était couvert de fleurs. Une atmosphère de recueillement, quelques visages rougis par les larmes, des caresses pour un ultime adieu. Ce fut une belle mort pour un poney et une belle expérience pour les jeunes cavaliers.

La mort fait partie de la vie. Permettre à un enfant de voir ou de toucher (s'il le désire) un animal mort, lui permettre de ressentir sa peine, de prendre le temps de lui dire adieu, de se rendre compte avant son départ qu'il ne le reverra jamais, tout cela est très constructeur.

Que dire ?

Marine prend de grandes précautions pour annoncer à son fils Antoine (cinq ans) le décès de sa grand-mère :

« Elle est partie loin, elle ne reviendra plus. »

Antoine regarde sa mère et dit d'un air entendu :

« Ah, elle est morte ! »

Dès qu'un enfant a traversé un automne, il sait qu'il y a des feuilles mortes. Il a vu une mouche sur le dos, des fleurs fanées, peut-être un pigeon écrasé sur le macadam ou encore a-t-il même trouvé son hamster immobile. Selon son âge, le mot mort ne représente pas tout à fait la même chose. On dit que les enfants n'acquièrent l'idée de la non-réversibilité de la mort qu'aux alentours de neuf ans. Ce n'est pas une raison pour leur raconter des fadaises.

Il est rare de passer les dix premières années de sa vie sans expérimenter la mort d'un être plus ou moins cher à nos cœurs. Le décès d'un poisson rouge, d'un chien, d'une grand-mère, d'une copine de l'école, d'un ami des parents, d'un frère ou d'une sœur, ou même d'un parent peut survenir. Tous n'ont bien entendu pas la même importance. Que dire ? La vérité !

Dire la vérité ne veut pas dire assener brutalement à l'enfant une réalité qu'il ne pourrait assimiler, ni lui infliger des images violentes. Il est important de prendre le temps, de suivre le rythme de sa compréhension et de ses capacités d'assimilation.

Le décès des grands-parents, c'est aussi le décès de vos parents. La mort d'une copine d'école vous remue, la perte du poisson rouge vous met mal à l'aise. L'enfant est en prise directe avec vos émotions, et ce, d'autant plus qu'elles ne sont pas exprimées.

Les enfants sentent, savent. Il est inutile de leur cacher quoi que ce soit. Si vous le faites, d'une part, ils risquent de paniquer, d'autre part, ils peuvent perdre leur confiance en vous. Quelque chose de caché, de secret, fait bien plus peur que quelque chose qui peut être dit. Les enfants perçoivent confusément que vous ne leur dites pas la vérité. En résumé, ils perdent confiance soit en vous, soit en eux.

Si vous insistez et persistez dans la négation de la vérité, l'enfant peut se mettre à douter de ses perceptions ou se construire des croyances négatives. Comme vous niez une réalité qu'il perçoit confusément, il en déduit qu'il n'a pas le droit de savoir... Ce qui peut poser des problèmes ailleurs. Pour nous montrer qu'il est obéissant, il peut aussi s'empêcher de savoir à l'école !

Les psychologues le savent maintenant de façon certaine, la vérité fait toujours moins mal. Toujours, même si elle est très douloureuse à entendre.

Son père s'est suicidé ? Sa mère est décédée dans un accident de voiture ? Sa sœur a été emportée par un cancer ? Il est important qu'il le sache. Parlez-lui de ce qui s'est passé en restant attentif aux images que l'enfant peut se faire dans sa tête. Écoutez-le, posez-lui des questions sur ce qu'il imagine. L'émotion met un filtre devant ses oreilles. Même si vous avez parlé très clairement, il peut déformer vos paroles.

Permettez-lui d'évoquer le décès plusieurs fois, de raconter son vécu, son imaginaire, et de poser toutes les questions qui lui viennent à l'esprit, même celles qui vous apparaissent comme saugrenues.

Écoutez et ne corrigez que lorsqu'il est nécessaire de rectifier une interprétation erronée ou des images trop violentes.

Expliquez-lui bien les motivations de ce geste de son papa, les conditions de l'accident, autant que possible les causes de la maladie. Les enfants se sentent facilement responsables de tout ce qui advient à leur entourage. Soulignez bien et répétez-lui qu'il n'y est absolument pour rien, et qu'il a le droit de sentir toutes ses émotions, de la colère à la tristesse.

Oui, il a le droit de se sentir très en colère contre cet homme qui était son père et qui a décidé de partir, qui l'a donc abandonné. Quelles que soient les raisons du décès, suicide, maladie ou accident, l'enfant se sent abandonné par celui qu'il aimait et dont il avait besoin. Il est fondamental qu'il sente et puisse exprimer de la colère.

Elisabeth Kübler-Ross est un médecin d'origine suisse. Depuis le début de sa pratique et jusqu'à son propre décès, en janvier 1999, elle a écouté des dizaines de milliers d'adultes et d'enfants aux portes de la mort, elle a accompagné des dizaines de milliers de gens dans ce passage et guidé leurs familles dans le travail de deuil. Dans ses ouvrages, elle nous livre ce que ces gens lui ont confié, elle témoigne de ce qu'elle a observé. Les étapes du deuil sont maintenant bien connues. Elle a été la première à les décrire. Voici donc les phases par lesquelles nous passons, confrontés à notre propre mort, comme à la perte d'un être cher.

La première étape est celle du déni.

« Non, il n'est pas mort, ce n'est pas possible. »

Puis vient la colère :

« C'est pas juste, papa t'es méchant, tu t'es pas occupé du hamster. »

« Pourquoi tu es partie maman, je voulais pas, c'est pas juste. »

Il est toxique à ce stade de tenter de calmer l'émotion avec des phrases du type : « Tu sais, ton hamster était vieux », ou : « Je t'en achèterai un autre », de faire la morale : « Ta maman ne pouvait pas faire autrement, tu sais, elle t'aimait... »

L'enfant a besoin de sa colère.

Écoutez et accueillez : « Tu l'aimais ton hamster », « Tu es vraiment malheureuse », « Tu es en colère, tu aurais voulu qu'elle reste avec toi. »

Vient ensuite une phase de dépression. L'enfant est dans une période de retrait, il ne s'intéresse plus à ce qui l'entoure. Il est plongé dans le passé. Il repense à sa relation avec la personne décédée. Accompagnez-le en lui permettant de pleurer et de parler. C'est le travail nostalgique nécessaire avant l'acceptation.

Après l'acceptation de la perte, un nouvel attachement devient possible. Il signe la fin du travail de deuil.

La mort de quelqu'un ou d'un animal sera l'occasion de parler de la mort éventuelle d'autres personnes que l'on aime. Questions ne veut pas dire angoisse, à moins que l'adulte ne réponde pas, ou réponde évasivement. C'est la non-réponse aux questions qui est angoissante. Sachez que les réassurances excessives ne marchent pas non plus :

« Je ne vais pas mourir mon chéri, et toi non plus, seulement les personnes très vieilles meurent... »

Il est capable de vous rétorquer :

« Et le poney, il est mort, il était pas vieux. »

Vous voilà obligé de clarifier :

« C'était un accident. »

L'enfant n'est pas idiot. Il a compris qu'on pouvait mourir d'un accident, mais s'il sent la résistance de sa maman à lui en parler... c'est qu'elle en a peur... cela signifie qu'il y a un risque ! La vérité est bien moins angoissante parce qu'alors l'enfant peut en parler librement, se repérer, poser les questions qu'il a besoin de poser pour comprendre, identifier, clarifier.

Les enfants abordent la mort avec davantage de sérénité que nous. À moins de l'approcher eux-mêmes dans le cas d'une grave maladie, ils n'en ont pas une représentation très claire avant l'âge de neuf ans. Ils ne dramatisent pas et peuvent demander sans se troubler à leur mamie : « Dis, quand est-ce que tu seras morte ? » Ou annoncer à leur mère : « Tu sais, maman, quand tu seras morte, je prendrai tous tes bijoux » (Margot, quatre ans). Un peu plus tard, elle me demande si sa grand-mère est morte, et ajoute : « Si elle est morte, on pourra lui envoyer une carte postale sur son âme. Tous les jours, on la verra en lui déposant une lettre sur son cœur. »

3

Accompagner la tristesse

Pour accompagner la tristesse, laissez simplement de l'espace aux pleurs. Encouragez-les par des mots simples :

« C'est dur... », « tu es vraiment très triste de... », « c'est triste de penser qu'on ne reverra jamais plus quelqu'un »...

De manière générale, quand quelqu'un pleure, ne le touchez que si votre intimité est suffisante pour que votre contact ne stoppe pas ses larmes.

Vous pouvez donc prendre votre enfant dans les bras. Poitrine contre poitrine. Alors que vous-même respirez calmement, profondément dans votre bassin, sentez sa respiration, et accueillez votre enfant dans votre cœur. Encouragez-le à pleurer tout son soûl : « Pleure, mon amour, pleure tout ce que tu as besoin de pleurer ! »

Les pleurs aident à accepter la défaite, alors évitons de dire à la fin d'un jeu si Ludivine n'a pas gagné : « Ne pleure plus, la prochaine fois ce sera toi », mais plutôt : « Je te comprends ma minouche, c'est dur de perdre. »

Cela vous paraît exagéré ? Faites l'expérience. Les larmes sont là de toute manière, et vous observerez qu'elles durent bien plus longtemps si vous ne les respectez pas.

VIII

LA DÉPRESSION

La dépression est bien différente d'une déprime passagère, naturelle et normale. C'est une atmosphère qui s'installe pendant plusieurs semaines, des mois, voire des années.

La dépression prend la couleur de la tristesse, mais ce n'est pas une tristesse guérissante. C'est un blocage d'émotions emmêlées.

Elle indique un problème insoluble pour l'enfant, une profonde détresse qui n'est pas entendue.

1

Comment la déceler ?

Un adolescent qui fait grise mine du matin au soir, c'est facile à repérer. Mais chez le jeune, la dépression est souvent masquée. Sagesse excessive, conformisme, ou agitation, elle se dissimule sous des vêtements variés et peut passer inaperçue.

Quand un enfant est trop sage ou trop brillant à l'école, peu d'adultes s'alertent ! C'est pourtant un des visages de la dépression. Un enfant, c'est vivant. S'il est trop docile, trop sage, c'est qu'il réprime une partie de la vie en lui.

François a onze ans. Il est très tranquille, il réussit très bien à l'école. Mais rien ne l'intéresse vraiment, il ne fait pas de projets. Il ne sait pas où il veut aller en vacances, ni ce qu'il va faire le week-end prochain. À part son ordinateur refuge, il a peu de passions. François n'est pas un émotif. Un peu rêveur, sa vie s'écoule tranquillement. Il ne la prend pas en main. Comme si elle ne lui appartenait pas.

Soulevons le voile. Les parents de François se disputent souvent. Le mari trompe sa femme. D'après les parents, leur fils ne le sait pas. Ils ont toujours été très attentifs à ce qu'il ne puisse surprendre une conversation... Cependant, dès que François est seul avec moi, il est rapidement évident qu'il sait qu'il y a une autre femme dans la vie de son père, et que sa mère est malheureuse. Il ne peut pourtant leur en parler. Jamais il n'évoque sa détresse devant les chamailleries de ses parents. Il enferme tout en lui. Puisque ses parents ne lui en parlent pas, c'est qu'il n'est pas censé en parler. De plus, il a peur de déclencher une séparation en mettant les choses sur la table. Et ce dont un enfant a le moins envie, c'est de se sentir la cause d'une séparation de ses parents. Il aimerait tant les voir s'aimer.

Quand les parents lui en parleront, il pourra enfin dire son vécu, sentir sa colère, la dire, formuler ses peurs, pleurer... se libérer de tout ce poids à l'intérieur de lui. Un enfant dépressif est un enfant qui souffre. Un enfant frustré, qui vit des manques mais ne peut, n'a pas le droit de les exprimer. Ce qui fait le lit de la dépression, c'est l'impossibilité de parler, de dire ce qu'il a sur le cœur.

Un autre visage de la dépression, insoupçonné de la plupart des parents, est l'agitation. **L'hyperactivité est une lutte contre la dépression.** Elle fait souvent passer inaperçu le problème sous-jacent. Les parents grondent, punissent, accusent l'enfant, qui est de plus en plus profondément enfermé dans sa détresse. Les parents préféreront même administrer Valium ou Ritaline plutôt que de regarder la réalité : leur enfant est malheureux et peut-être bien qu'ils y sont pour quelque chose.

Si personne ne se préoccupe d'écouter les

besoins de l'enfant, l'agitation peut devenir violence.

C'est la raison pour laquelle Martin vient me voir avec sa maman. Il vient de frapper un petit copain à la maternelle et la directrice était à deux doigts de le renvoyer. À quatre ans, il est vécu par tous, adultes et enfants, comme un monstre. Au square, les autres mamans écartent leurs petits. Il n'est jamais invité chez les copains, et ces derniers ne viennent pas chez lui. Martin est un monstre. Il en est convaincu. Même sa mère finit par y croire. Est-ce génétique ? Peut-on y faire quelque chose ?

Je demande à la maman de me parler de l'histoire de son fils depuis sa conception. J'apprends, comme Martin d'ailleurs qui écoute, que son papa est parti bien avant sa naissance, dès qu'il a su qu'il était conçu. Il n'a pas voulu être père.

Mettons-nous un instant à la place de Martin. Comment comprendre que son papa soit parti ? Tant qu'il n'avait pas entendu les véritables raisons pour lesquelles son père avait déserté, la seule explication plausible pour lui, c'était qu'il était un monstre. Pour excuser son papa, ne pas lui faire porter la responsabilité de son départ, il assume cette responsabilité, c'est lui qui est coupable, il est un monstre. À partir de là, il n'a plus qu'à confirmer cette croyance. Puisqu'il est un monstre, il se comporte comme un monstre.

Une seule séance a suffi pour transformer radicalement le comportement de Martin. Sa propre mère ne le reconnaissait plus ! Une séance pendant laquelle il a compris d'où lui venait cette conviction qu'il était un monstre, une séance pendant laquelle il lui a été dit qu'il n'avait aucune responsabilité dans le départ de son père, que ce dernier n'était pas parti parce que Martin était un monstre, mais parce qu'il avait des problèmes, parce qu'il se sentait incapable d'élever un enfant.

Martin a cessé d'être opposant à tout ce que lui proposait sa mère. Même le bain, véritable supplice précédemment, est devenu une partie de plaisir. Il n'a plus été violent... sauf un soir à la sortie de l'école. La mère s'est alors enquise de ce qui s'était déroulé dans la journée, pour apprendre que l'enseignante avait obligé Martin à réaliser un cadeau pour la fête des pères !

Quand un enfant ne se sent pas aimé, il se dit rapidement qu'il y a forcément une raison. Il ne peut se permettre de remettre en cause ses parents, et donc préfère s'accuser. Si ses parents le frappent, ce n'est pas parce qu'ils sont violents, mais parce que **lui** est mauvais.

C'est d'ailleurs ce que la plupart des parents disent : « Je te frappe parce que tu as fait quelque chose de mal, une faute ». Pour "te" corriger, et non pour corriger la faute, car il est vrai qu'on ne voit pas très bien de quelle manière un coup pourrait corriger une faute. La correction est donc bien donnée à la personne, c'est la personne même de l'enfant qui *est* « faute ». Tout est clair.

Si mes parents me frappent, c'est que je suis mauvais. L'autodépréciation est préférable à la remise en cause des parents. J'ai besoin d'eux, comment pourrais-je me permettre de les considérer comme vulnérables, incapables de se contrôler, capables de me faire du mal, dangereux. Je préfère penser que la culpabilité est mienne. C'est moi le coupable. Je suis un monstre.

Les symptômes de la dépression chez l'enfant :

— ne rit pas
— ne s'intéresse à rien. « Je ne sais pas quoi faire »
— s'ennuie
— on le dit sage, presque trop sage
— est agité
— problèmes de sommeil, d'alimentation
— troubles du comportement
— besoin de stimulations violentes, d'adrénaline : coca, sucre, dessins animés violents...
— échec scolaire
— désinvestissement des apprentissages scolaires ou surinvestissement... attention aux trop bonnes notes tout le temps !
— se plaint souvent d'être fatigué
— maladies à répétition

2

L'échec scolaire, un symptôme

L'échec scolaire est très douloureux pour un enfant, même s'il affiche n'en avoir rien à faire (peut-être même d'autant plus). N'en rajoutez surtout pas en le culpabilisant, en l'insultant ou en le dévalorisant !

Quelles sont les causes de l'échec ? Ne croyez jamais que votre enfant est idiot, incapable, débile, nul en maths ou quoi que ce soit. Il est empêché d'apprendre en ce moment, voilà tout. Reste à trouver ce qui l'inhibe dans ses apprentissages.

S'agit-il d'un autre enfant qui le domine voire le tape ? D'un professeur injuste, sévère, froid ou simplement incompétent ? Y a-t-il un non-dit dans la famille ? Un parent malade ou dépressif ? Est-il en conflit avec son frère ou sa mère ? Ou encore avec les attentes inconscientes de son père ?

Là encore, l'écoute est la première réponse.

Vis-à-vis de l'école, vous vous devez de défendre votre enfant, prendre résolument son parti dans vos rencontres avec les enseignants. C'est sa vie entière qui est en jeu. Il n'est pas anodin d'être considéré comme nul en CM1 ou en cinquième ! Ce sera dur à rattraper. Il est fondamental d'expliquer à l'enfant qu'il n'est pas nul. S'il n'y arrive pas, il y a de bonnes raisons pour cela :

◊ Il a dans sa tête un nœud de soucis, il n'y a plus de place pour apprendre.

◊ Son enseignant n'a pas su trouver le mode d'apprentissage qui lui convient. Attention à ne pas psychologiser à outrance un enfant sous prétexte qu'il est dyslexique ou tout simplement plus visuel que son professeur !

◊ Il s'ennuie !

◊ Pour s'intéresser à sa scolarité, il faudrait que l'institution scolaire s'intéresse à lui. Il a besoin de se sentir responsable de lui-même, de ses choix.

Dans tous les cas, l'enfant a des émotions en lui qui ne peuvent s'exprimer et qui altèrent ses compétences scolaires. Écoutez-le, aidez-le à mettre des mots sur les sentiments et les pensées qui le préoccupent, jusqu'à ce que ses capacités se libèrent et que sa motivation revienne.

3

Il est dépressif ?

Voici quelques pistes à explorer :

◊ Manque-t-il de votre présence à la maison ou de celle de son autre parent ? Quand vous êtes là, êtes-vous disponible pour passer du temps avec lui (hormis le temps consacré aux devoirs qui ne compte pas dans la balance affective puisque vous êtes à ses côtés pour ce qui est important pour vous et pas forcément pour lui) ?

◊ Est-il victime de violence ? ou témoin de violence sur un de ses frères ou contre l'autre parent ?

◊ Est-ce un enseignant qui se montre violent (physiquement ou verbalement), méchant, excessivement méprisant, autoritaire ou encore indifférent ?

◊ Y a-t-il un ou des secrets dans la famille, quelque chose que vous ne lui dites pas ?

◊ Vous les parents, êtes-vous proches l'un de l'autre, vous aimez-vous, vous respectez-vous ? Séparés ou vivant sous le même toit, c'est la distance affective qui est la plus dure à vivre pour les enfants.

◊ Il ne vit pas avec ses parents ?

◊ Il a subi un abus sexuel ?

◊ Un ou les deux parents souffrent d'une dépression (consciente ou non).

Comment l'aider ?

Dites-lui que vous voyez qu'il ne va pas bien et que vous êtes désireux de l'aider. Souvent l'enfant va nier :

« Mais non, je vais très bien. »

Maintenez votre point de vue en le développant :

« Quand je te vois t'énerver sans arrêt avec tes copains, je me dis que tu n'es pas heureux. Quelque chose te fait souci et tu es mal à l'aise pour en parler. Peut-être as-tu peur de notre réaction, peut-être même ne sais-tu pas bien mettre des mots sur ce qui ne va pas. Mais je ne veux pas te laisser comme ça. C'est important pour moi que tu sois heureux. Qu'est-ce qui se passe ?

— Je ne sais pas, tout m'énerve.

— Qu'est-ce qui pourrait bien t'énerver dans ta vie en ce moment, tu as une idée ?

— Ce qui m'énerve, c'est le prof de maths, j'y arrive pas, j'ai toujours de mauvaises notes. »

Continuez à lui poser des questions ouvertes en termes de « qu'est-ce que... ».

« Qu'est-ce que tu ressens quand tu n'y arrives pas ? »

« Qu'est-ce que tu te dis ? » Etc.

Donnez-lui la permission de s'exprimer en étant prêt à tout entendre sans vous formaliser, sans vous culpabiliser, sans vous effondrer.

Écoutez ! et posez des questions en forme de qu'est-ce que, comment, de quoi... jusqu'à ce que le problème soit élucidé sinon résolu. Il est important que les émotions soient exprimées, pas forcément que toutes les difficultés soient résolues. Ne le harcelez pas une heure durant. Parlez et écoutez quelques minutes... Dès qu'il sature, clôturez, tout en lui signifiant que vous en reparlerez. Laissez-lui le temps de digérer, de réfléchir, d'élaborer.

De votre côté, réfléchissez. Vous connaissez bien votre enfant, son environnement et les circonstances qui l'entourent... Qu'est-ce qui peut être à l'origine de son état ?

Donnez-lui davantage de vraie présence, d'écoute, mais aussi de jeux, d'activités ensemble.

Aidez-le à se mettre dans de saines colères lorsque vous surprenez injustices, envahissement de son territoire ou insulte à sa personne. « Eh Max, tu as le droit de dire à ton frère que tu n'es pas d'accord qu'il te prenne ton vélo », « Eh, réponds-lui quand il te dit que tu es une mauviette. »

Dé-pression ? C'est le contraire de l'ex-pression. L'énergie vitale est enfermée. La colère, ex-pression de la frustration, du manque, de la blessure, est réprimée. **Plus la colère s'ex-prime, plus la dé-prime s'allège.**

Aidez votre enfant à reconstruire un sentiment de puissance personnelle, de contrôle sur sa propre vie. Accueillez avec plaisir ses colères. Écoutez son avis sur toutes sortes de choses qui concernent toute la famille, les sorties, les vacances, et suivez-le, non pas systématiquement mais souvent.

S'il n'a pas encore le contrôle de son habillement, donnez-le-lui. Si, au contraire, vous vous absteniez de tout commentaire sur ses vêtements, commencez à lui dire ce que vous aimez et ce que vous n'aimez pas.

Ne perdez pas une occasion de lui montrer qu'il est votre priorité, qu'il est important pour vous, que vous le trouvez suffisamment intéressant pour avoir envie de prendre du temps avec lui. Donnez-lui du temps.

Et si possible, prenez à bras le corps vos problèmes d'adultes ! Si vous n'y arrivez pas encore, parlez-lui-en. Ne le laissez pas les porter. Dites-lui qu'il n'y est pour rien et que vous avez à régler cela seuls, entre adultes. Laissez-le s'épancher. Écoutez ses émotions, ses pensées, ses besoins.

IX

LA VIE N'EST PAS
UN LONG FLEUVE TRANQUILLE

L'échec, la douleur, la maladie, la mort, ne manquent pas d'apparaître dans la vie de tout humain. Comment faire pour que les épreuves soient constructrices plus que destructrices ? Comment aider nos enfants à surmonter les souffrances qu'ils traversent dans l'enfance, deuils, séparations, maladies... Et comment les aider à devenir des adultes capables d'affronter les difficultés de leur vie avec cœur ?

1

Faut-il se durcir pour traverser les épreuves ?

On dit que des enfants élevés dans un cocon sont fragiles. S'ils sont enfermés dans le cocon, ils auront vraisemblablement des difficultés à affronter la vie. Je me souviens des premières expériences de bulle aseptique dans les hôpitaux. Un garçon y avait été placé dès sa naissance et s'apprêtait à en sortir après plusieurs années. Il était terrorisé par la moindre chose et fort peu préparé. Mais cette bulle aseptique a peu de points communs avec une enfance normale chez soi.

En parlant de cocon, les gens évoquent plutôt une enfance trop confortable. Naître dans une famille heureuse, dans des conditions optimales, au sein d'un couple uni et aimant, avec des parents attentifs, donnant beaucoup d'amour et de liberté, sans gros problèmes matériels, serait-il fragilisant ?

Un rien pourrait les démolir ? Certains l'affirment, pour justifier leurs méthodes pédagogiques. Selon eux, il faut apprendre « la vie » aux enfants ; traduisez : les contraintes, l'injustice, les punitions, la souffrance. Est-ce vraiment l'image de l'existence que nous voulons transmettre à nos enfants ? Lorsque ma fille était à la maternelle, sa maîtresse m'a expliqué combien il était important qu'elle se prépare à obéir aux règles et à se soumettre aux contraintes, puisqu'elle allait en rencontrer toute sa vie ! Elle avait trois ans ! Ce n'est pas ma conception de l'existence, nous l'avons retirée de cette école insistant sur le conformisme social plus que sur l'épanouissement de chacun.

Les enfants à qui on n'impose pas d'obligations excessives, qu'on ne frappe pas, qu'on ne tente pas de contraindre ou de blesser, ne sont certes pas « endurcis », c'est-à-dire qu'ils n'ont pas revêtu de carapace. S'ils rencontrent de graves difficultés, leur première réaction ne sera peut-être pas de se protéger ou de fuir. Peut-être pleureront-ils plus que les autres. Mais n'est-ce pas là preuve de bonne santé psychique ? Ils sont plus sensibles et c'est une bonne chose !

Nous déplorons l'insensibilité de ce monde et nous voudrions y conformer nos enfants ?

Interpréter la manifestation d'émotions comme une faiblesse, une inaptitude à assumer, est obsolète. La réalité montre que c'est exactement le contraire. Si taire ses affects aide au jeu de pouvoir et peut donc être utile pour manipuler autrui et gagner une bataille... sur le long terme, c'est la répression émotionnelle qui rend fragile, et non l'expression, pour autant que cette dernière soit juste et proportionnée.

Les rages qui obscurcissent nos cerveaux, les larmes qui nous font plonger dans un abîme de douleurs, les peurs qui nous paralysent, ne sont pas des émotions à exprimer, vous l'avez lu tout au long de ce livre. Ce sont des affects parasites qui ont un sens, mais ne sont que rarement reliés à l'ici et maintenant. Ces émotions-là sont à décoder, mais leur expression aggrave le problème.

Lors d'une conférence où j'abordais ce sujet, une jeune femme prit la parole pour dire que, dans son entreprise et dans le monde du travail en général, les émotions n'étaient pas entendues. Elle donna pour exemple ce qui venait de lui arriver. En réponse à une injustice, elle avait pleuré de détresse devant son patron, il s'en était servi contre elle.

Voici comment nous nous convainquons que les émotions ne sont pas accueillies ! Elle croyait avoir exprimé ! Mais seule la colère est appropriée face à une injustice ! Des pleurs sont une invitation à un jeu de pouvoir à partir d'une position de victime, le patron y a répondu.

Nous avons besoin de mieux maîtriser la grammaire émotionnelle. Exprimer ses émotions ne signifie pas donner libre cours, sans filtre ni retenue, à des larmes qui n'ont pas de sens, si ce n'est qu'elles disent notre passé, ici, l'impuissance d'une petite fille devant son papa !

Les émotions justes nous rendent notre puissance. Les émotions déplacées, disproportionnées, excessives, substitutives, élastiques... nous vulnérabilisent.

Dans l'esprit de la plupart des gens, les pleurs sont associés à la douleur. Si une personne sanglote, c'est qu'elle a mal. Et dans une tentative magique de supprimer la douleur, nous exigeons qu'elle taise ses larmes. Si elle ne pleure pas, elle a moins mal.

C'est vrai, c'est dur d'entendre quelqu'un souffrir. Mais nous sommes des adultes. N'est-ce pas injuste d'obliger une personne, et surtout un enfant, à taire sa douleur, à la gérer toute seule, simplement parce que nous sommes démunis ?

Un enfant qui ex-prime ne garde pas en lui. Il a mal, certes, mais la douleur n'a pas le pouvoir de le détruire. À l'aide des larmes, il la traverse.

Un enfant qui doit taire ses larmes enferme en lui sa douleur. Il est seul avec elle. Il se replie sur son mal. Une part de son énergie psychique s'emploie à donner sens à cette douleur, à contenir les émotions, à moins souffrir. Toute cette énergie n'est plus disponible pour s'épanouir, apprendre, travailler à l'école ou établir des relations avec des copains. Il risque de sortir diminué de l'épreuve. Tôt ou tard, il exprimera sa détresse par un symptôme. Ses parents ne l'identifieront malheureusement pas toujours comme tel. Eczéma, pipi au lit, refus de s'alimenter, mauvaises notes, violence ou dépression sont quelques-uns de ces symptômes possibles... Les émotions peuvent rester enfouies des années et ne tenter une sortie qu'à l'âge adulte. Altérant la perception de la réalité, elles induisent échecs professionnels, mariages malheureux, erreurs et conflits. Les émotions explosent alors devant le licenciement ou le divorce ou implosent en cancer ou infarctus.

Les épreuves jalonnent la vie de tout humain, il est inutile d'en provoquer pour le blinder. Au contraire, aider un enfant à rester solide face à l'épreuve, à la traverser sans dommage, c'est l'accompagner dans la construction d'une base de confiance en lui, en ceux qui l'entourent et en la capacité de libération des émotions.

Le déni des émotions, le blindage, nous donnent l'illusion de passer entre les gouttes, mais nous savons aujourd'hui combien cette répression émotionnelle est toxique pour la santé physique et psychique. Les émotions sont les outils dont la nature nous a dotés pour faire face aux difficultés de la vie, pourquoi s'en priver ?

Regardons ensemble quelques épreuves courantes de l'enfance. Je n'évoquerai pas ici la maltraitance grave, ce serait un autre livre.

2

Les séparations

Pour un tout-petit, l'épreuve par excellence, c'est la séparation.

La séparation à la naissance

Il arrive qu'une séparation mère-enfant soit incontournable dès la naissance. Des problèmes de santé peuvent nécessiter des soins, des compétences et un matériel spécifiques non disponibles dans votre hôpital. De plus en plus, les maternités s'organisent pour maintenir le lien mère-enfant, mais ce n'est pas toujours possible. Toutefois, quand on vous dit : « C'est impossible », insistez et vérifiez ! En entrant à l'hôpital vous devenez un « patient », ce n'est pas une raison pour rester soumis !

Mon premier enfant est né par césarienne. Après avoir été recousue, je descends dans ma chambre, et apprends que ma fille ne pourrait m'y rejoindre que dans une heure. Margot, refroidie et de petit poids, « devait » rester en couveuse. C'était mon premier bébé, je n'étais pas préparée à résister à l'envahissement médical. Devant le catégorique « tant que sa température est basse, elle doit rester au chaud », nous n'avons pas su nous opposer. Mon corps ou celui de son père étaient pourtant tout aussi chauds que la couveuse !

Mais pourquoi était-il « impossible » de descendre la couveuse ?

« Les couveuses ne sortent pas de l'étage ! La personne qui prépare les couveuses à votre étage prend son service dans une heure. »

On croit rêver ! Jean Bernard a pris la couveuse, coursé par les infirmières qui hurlaient :

« Vous n'avez pas le droit !

— Je le prends. Vous, vous n'avez pas le droit de laisser ce bébé tout seul ici alors que sa mère est un étage en dessous ! »

Il a descendu la couveuse et, bien entendu, cela n'a posé aucun problème.

Nathan est né par césarienne avec un problème cardiaque. Il a été transféré d'urgence dans un hôpital compétent. À cause de son opération, sa mère n'a pu l'accompagner. Le père, lui, a suivi. Il parlait à son bébé, le prenait sur son corps. Quand le personnel lui a demandé de sortir pour la nuit, il a simplement refusé. Pas question de laisser son nourrisson en souffrance tout seul dans cet univers étrange. Il voulait coucher là, à son côté. Il dormi sur le carrelage, sous le berceau ! Tout a été tenté pour décourager le père de rester auprès de son enfant. Mais sa détermination était telle que le personnel a capitulé. Le lendemain soir, un fin matelas lui a été concédé. Si tous les pères et mères avaient cette fermeté, il y a belle lurette que les hôpitaux se seraient mis au pas et auraient inventé des structures d'accueil respectueuses des besoins d'une famille.

Si la séparation est vraiment inévitable, parlez-la. Oui, parlez au bébé ! Il entend. Il ne comprend pas les mots, mais il saisit l'intention. Il est stupéfiant de voir un nourrisson calmer ses pleurs ou cesser sa grève de la faim parce qu'on lui explique simplement ce qui se passe.

Un bébé est bien plus qu'un tube digestif. La science nous le montre aujourd'hui (il nous a fallu des preuves scientifiques parce que nous étions aveugles et sourds).

Le bébé est une personne, respect lui est dû.

S'il ne parle pas encore avec des mots, il parle avec son corps, avec ses cris. Il tente de communiquer. Il a droit à du sens. Son cerveau imprime déjà tout ce qu'il entend. Il a besoin d'informations sur ce qui se passe.

La séparation à l'heure de la crèche

Plus tard, quand la maman reprend son travail, c'est l'heure d'aller à la crèche ou à l'école. Depuis Françoise Dolto, l'accueil de la petite enfance s'est transformé. Presque partout, le personnel des crèches est attentif aux besoins de l'enfant. Presque partout, une préparation est proposée, une période d'adaptation pendant laquelle le parent est le bienvenu jusqu'à ce que l'enfant se sente suffisamment à l'aise. Presque partout, on vous aidera à parler à votre enfant et le personnel lui parlera de vous en votre absence. Un enfant n'est pas un paquet que l'on dépose et que l'on reprend, c'est une personne qui a le droit d'avoir son avis !

Vous le mettez à la crèche parce que vous reprenez votre travail ? **Il n'a pas le choix, mais il a le droit d'exprimer ses émotions.**

Si, passées les toutes premières fois, votre petit continue de pleurer lors de votre départ, il cherche à vous dire quelque chose. Ne croyez pas que « ça passera ». Des pleurs indiquent une souffrance.

Il est tentant d'interpréter ses larmes comme un refus de rester à la crèche pendant que vous travaillez. Ne sautez pas trop vite aux conclusions. Considérez ce que vit votre enfant, et cherchez à identifier son besoin. Est-ce en rapport avec la nourrice ? Avec le lieu ? Avec la présence d'un autre enfant ? Est-ce une réaction à votre propre angoisse ? Vous-même, vous sentez-vous abandonnée dans votre vie ?

Parlez-lui. Et surtout, pas de mensonge ! Vous aimez votre travail et êtes heureuse de le reprendre ? Cela n'enlève rien à l'amour que vous lui portez. Dites-lui votre bonheur au travail ! Un enfant aime voir sa mère heureuse. En déplaçant la responsabilité de la séparation sur autrui (la société, notre patron...), nous tentons d'éviter la confrontation avec les émotions de l'enfant. L'enfant n'acceptera pas mieux votre absence si vous la lui présentez comme une contrainte indépendante de votre volonté, bien au contraire. Assumer ses responsabilités est plus gratifiant à long terme et plus sain pour l'enfant. De même quand il ne voudra pas aller à l'école, ne lui assenez pas un :

« Tous les enfants vont à l'école à ton âge, c'est obligatoire. »

C'est faux ! L'école n'est pas obligatoire en France. À l'âge de six ans, l'instruction devient obligatoire, pas l'école. Vous pourriez tout aussi bien choisir de lui apprendre à lire à la maison. C'est *votre* choix de préférer l'école, un choix peut-être dicté par vos horaires de travail, mais relevant de vous et non de la loi. Comment s'étonner que nos enfants plus tard nous mentent et fuient leurs responsabilités si nous leur mentons et tentons de reporter la responsabilité de nos choix sur autrui ?

Prévenez toujours !

S'il est vrai que les bébés n'ont pas la notion du temps, il est tout de même important de les informer suffisamment à l'avance. Même un tout-petit a besoin de temps pour se préparer. Si vous vous apprêtez à sortir une heure, il suffit d'en parler à votre enfant le matin même (mais pas deux minutes avant). En revanche, si vous comptez vous absenter une semaine, informez votre enfant au moins un mois à l'avance.

À dire vrai, pourquoi ne pas lui en toucher un mot à partir du jour où vous prenez la décision ? **Une séparation concerne deux personnes.** Communiquer tôt donne aux deux le temps d'écouter les émotions, d'anticiper, de construire un pont entre le moment du départ et celui du retour, de se mettre à l'écoute prospective des besoins de chacun et d'élaborer des stratégies en conséquence pour continuer de se sentir en lien.

Est-ce un tee-shirt plein de votre odeur qui lui conviendra ou bien un petit objet à vous qu'il prendra dans votre sac ? Une photo ? **En préparant ensemble, on se sent proche.** Pendant votre absence, en regardant la photo, en humant le vêtement, en touchant le petit objet, il se remettra en relation avec ces moments de proximité avec vous.

Si c'est lui qui part, le doudou ou un vêtement imprégné de votre odeur restent les valeurs phares. Et laissez-le choisir lui-même ce qui l'aidera, des photos des parents, un nounours, un objet de la maison, un jouet familier aident aussi à sentir que papa, maman et la maison continuent d'exister même si on n'y est pas.

Avec un enfant plus grand, vous pouvez construire un grand tableau avec des cases représentant les jours qu'il pourra cocher au fur et à mesure. Vous pouvez lui préparer un genre de tableau de l'avent, avec de petites portes à ouvrir chaque jour pour y découvrir un message d'amour, un bonbon ou un tout petit cadeau. Inventez !

Rappelez-vous qu'il ne suffit pas d'en discuter une fois pour toutes. Reparlez-en souvent, **répétez**, même s'il n'aime pas vous entendre parler de cela. Au fur et à mesure que l'échéance se rapproche, les émotions varient.

◊ **Parlez-lui de la personne qui s'occupera de lui.**

Ne confiez jamais l'enfant à une personne inconnue de lui.

Certains enfants peuvent avoir besoin de temps pour faire vraiment confiance. Il ne suffit pas d'avoir vu quelqu'un une heure pour le connaître. Dans la mesure du possible, si vous devez confier votre enfant à une garde qu'il ne connaît pas bien, permettez-leur de faire vraiment connaissance et de se préparer mutuellement et ensemble à votre absence.

◊ **Évoquez avec votre enfant ce qu'il fera pendant votre séparation.** Il se construit ainsi des repères. Il continue d'exister pendant la séparation.

◊ **Décrivez votre projet.** Expliquez. **Donnez toujours les vraies raisons de la séparation.** Ne mentez jamais et ne faites pas passer pour une obligation imposée de l'extérieur ce qui est un choix de votre part.

◊ **Parlez de vous, de vos sentiments :**
« Je suis triste de te quitter, tu vas me manquer. »

◊ **Écoutez les émotions de l'enfant. Il a le droit de manifester sa colère, sa tristesse ou sa peur.**

◊ **Évoquez le comment de vos retrouvailles.**

L'apprentissage de la séparation

◊ **Jouez à cache-cache.**

Freud a décrit le jeu de la bobine dans lequel un enfant lance une bobine au loin en tenant le fil en disant « *fort* » (le mot allemand pour loin), puis il la ramène en tirant sur le fil : « *da* » (la voilà). *Fort da*, parti, revenu. Ce jeu, comme un peu plus tard le jeu de cache-cache, aide l'enfant à apprendre à gérer l'absence et les retrouvailles. Un enfant petit n'aime jouer à cache-cache qu'à certaines conditions. Il se cache de manière à ce que vous le trouviez très vite, reprend la même cachette vingt fois de suite, et pleure si votre cachette est trop difficile à trouver.

◊ **Lisez des histoires** retraçant le départ d'un parent, l'inquiétude de l'enfant, le retour et le soulagement. On peut parler autour d'un livre :

« Toi aussi, tu as eu un peu peur, quand je suis partie hier, comme les bébés chouettes. Et puis, je suis revenue. Les mamans reviennent toujours. La semaine prochaine, je vais encore partir deux jours. Peut-être tu vas te sentir un peu seule, comme les bébés chouettes. Il va y avoir deux nuits où je ne serai pas là pour le câlin du soir. Après je reviens. »

◊ **Habituez-le progressivement.**

Dans la mesure du possible, planifiez des séparations de durées respectueuses des capacités de l'enfant. Évitez de vous séparer plus de vingt-quatre heures d'un enfant de moins de deux ans. Après, il sait parler et dire ce qui lui convient. Écoutez-le.

Quand organiser les premières vacances en dehors de la maison ? À mon sens, quand l'enfant est capable d'exprimer qu'il le désire. Il est sage de commencer par une nuit chez grand-mère ou chez un copain et d'augmenter progressivement la durée des absences.

◊ **Et ne partez JAMAIS sans dire au revoir !**

Vous éviteriez peut-être de vous confronter à ses larmes, mais la trahison resterait une tache dans votre relation. Apprenez plutôt à accueillir et à partager les pleurs. Ils accompagnent une saine gestion de la séparation.

Être en contact pendant la séparation ?

Quinze jours paraissent courts à un adulte, pour un petit de deux ans c'est l'éternité.

◊ **Téléphonez ! Écrivez ! Faxez ! Manifestez votre existence.**

Vous préférez ne pas téléphoner pour qu'il ne pleure pas ? Évitez peut-être d'appeler à l'heure sensible du coucher, mais appelez ! S'il pleure après avoir raccroché, cela lui permet d'extérioriser sa souffrance. Vérifiez que la personne qui le garde saura l'accompagner dans ses larmes et ne lui demandera pas de se montrer un grand garçon !

Il est trop occupé à jouer ? Il a entendu votre désir de lui parler, il sait que vous ne l'oubliez pas.

En revanche, si vous ne l'appelez pas, il pourra se poser des questions, et ce, sans en parler à personne ! Celui ou celle qui le garde vous dira que tout s'est très bien passé. Il ne vous a pas réclamé une seule fois. Il n'a pas versé une larme... Il a bien compris qu'il devait dissimuler sa détresse. Il ne dira son désarroi qu'à son « psy », vingt ans plus tard !

Imaginez une absence de votre amoureux pendant un mois ou deux (proportionnellement cela correspond au vécu d'une semaine pour votre enfant). La distance est cruelle, vous aimeriez le serrer dans vos bras. Quand vous lui parlez au téléphone, vous êtes émue, vous avez du mal à raccrocher et versez plus ou moins des larmes. Mais pensez que, de peur d'entendre vos larmes, inquiet à l'idée de vous faire de la peine, il ne vous appelle pas de toute son absence ! Comment vivriez-vous cela ?

Votre enfant a droit aux mêmes égards que vous, au même respect de ses besoins, et ce d'autant plus qu'il est petit et ne peut les satisfaire par lui-même.

◊ **Vous restez avec l'enfant ? Écoutez-le parler de l'absent.**

« Où il est papa ? » me demande Margot (deux ans et demi) vingt fois de suite. À chaque fois, je réponds :

« Au bureau, ma chérie. »

Au bout d'un moment, je réalise que je réponds de façon mécanique, je demande alors :

« Et toi qu'est-ce que tu en penses, il est où ton papa ?

— Il est à son bureau, il travaille avec son ordinateur, ou peut-être il voit un client. »

En fait, en posant sa question, elle ne cherchait pas de réponse. C'était sa façon à elle de me signifier qu'elle était en train d'évoquer l'image de son père.

« Tu penses à ton papa » aurait été une réponse plus compréhensive et plus adaptée.

Pour ne pas susciter d'émotion indésirable, l'entourage parfois évite de mentionner l'absent. Une trop grande application à contourner le sujet peut paraître suspecte à l'enfant. Permettez-lui d'en parler, de formuler ce qu'il ressent, ce qu'il se dit.

Les retrouvailles

◊ **N'attendez pas qu'il vous saute au cou immédiatement.**

Laissez-lui le temps de traiter l'information. Quelques minutes peuvent lui être nécessaires pour intégrer cette nouvelle réalité : maman est de retour. Il peut aussi avoir besoin de terminer ce qu'il est en train de faire ! Gardez-vous d'interpréter ce temps comme un désintérêt de sa part. Au contraire. Pour vous rencontrer il veut se sentir entier, avoir fini de ranger ses billes ou terminé son dessin.

◊ **Retenez-vous de vous précipiter sur lui pour**

le couvrir de baisers. Ne faites pas de ce temps des retrouvailles un moment d'insécurité. Eh oui, même les bisous peuvent insécuriser s'ils ne sont pas dans son rythme. Ouvrez les bras, accroupi pour être à sa hauteur, et laissez-le venir vers vous.

◊ **Adorable à la crèche, infernal à la maison ?**

Il accumule toute la journée des tensions qu'il ne s'autorise pas à libérer avec des étrangers. Il vous les réserve parce qu'il sait que vous serez un bon contenant. Vous continuez de l'aimer même s'il est grognon.

◊ **Votre fils vous fait la tête quand vous arrivez ?**

Cela vous arrange parce que vous auriez envie d'être tranquille, vous vous dites un peu vite « il n'a pas envie d'être avec moi » et vous passez à autre chose ? Vous venez de rater un bon moment.

Votre fils est en colère parce que vous n'étiez pas là. Vous lui avez manqué, c'est sa façon de vous le dire. Écoutez-le. Pour réparer cette absence, il veut vérifier votre amour, votre intérêt, votre désir de jouer avec lui. Ne le décevez pas !

Plutôt que le :

« Quand tu auras fini de bouder, tu viendras jouer ! »

Allez-y franco :

« J'ai vraiment envie de jouer avec toi aux voitures. »

Les premières ruptures affectives

Père et mère, vous êtes les personnes fondamentales. Ensuite vient le reste de la famille, grands-parents, oncles et tantes. Mais votre enfant s'attache aussi à d'autres. Les parents ont souvent tendance à méconnaître l'importance des premières relations extra-familiales.

Si l'enfant est gardé par une assistante maternelle ou par une nounou à la maison, il arrive qu'on ait à en changer. La nourrice agréée prend sa retraite, la baby-sitter a terminé ses études et trouvé un travail, la jeune fille au pair repart dans son pays... Prévenez l'enfant dès que vous l'apprenez. Prenez des photos pour accompagner le souvenir. Demandez à la personne de lui parler et de lui donner les raisons de son départ. Dans la mesure du possible faites durer les « au revoir ».

Pour toutes sortes de raisons, les petits copains qu'on se fait les premières années d'école vont rarement rester. Notre société est de plus en plus mobile. Les copains déménagent, partent dans un autre département, changent d'école. Si votre petit de trois ou quatre ans ne semble pas en parler, c'est davantage parce qu'il ne sait pas comment le faire que parce qu'il ne ressent rien.

Vous déménagez ?

Un déménagement est aussi l'occasion d'une rupture affective. Il sera d'autant mieux vécu que l'enfant possédera suffisamment de sécurité en lui. S'il a peu de sécurité intérieure, perdre ses repères habituels peut se montrer traumatique.

◊ **Aidez votre enfant à visualiser son futur,** à anticiper. Dans la mesure du possible, emmenez-le *plu-*

sieurs fois **visiter avec vous** les lieux où il vivra désormais. Vous-même en avez besoin, non ? Pensez qu'il est plus insécurisé que vous par le changement, même si lui n'a pas à se préoccuper des aspects matériels du déménagement (et peut-être bien justement pour cela).

◊ **Faites-le participer au maximum.**

Dès que possible, confiez-lui des responsabilités. Sous prétexte d'éviter à nos enfants d'inutiles tracas ou, plus prosaïquement, de ne pas les avoir dans les jambes pour faire les cartons, nous les éloignons, leur ôtant par là même quelque chose de très important.

Les tâches matérielles autour d'un déménagement aident au travail de deuil de l'ancien et préparent à affronter le nouveau. Mettre dans les cartons, ranger, c'est aussi ressentir l'attachement que l'on porte aux objets, revoir leur histoire.

Tout petit, l'enfant peut s'occuper de mettre toutes ses peluches dans un carton. Plus grand, il peut avoir la responsabilité de fermer tous les cartons, de les numéroter, d'inscrire sur chaque boîte son contenu...

Sauf s'il ne sait pas encore marcher, il n'est pas bon qu'il ferme les yeux, vous fasse toute confiance et se laisse porter. Aidez votre enfant à construire ses ressources et à vivre le changement consciemment. Accompagnez-le 1) dans le deuil du passé, 2) dans la conscience de lui-même et de ce qui reste constant dans ce changement, 3) dans l'anticipation par la représentation de ses activités futures dans ce nouveau lieu.

Accompagner les changements

1. Le deuil du passé

Les étapes du deuil sont : le déni, la colère, la négociation, la tristesse et enfin l'acceptation. Faites de l'espace à toutes ces émotions. Accompagnez la nostalgie. Reprenez des photos du passé, évoquez des souvenirs...

2. Le sas

Entre deux mondes, deux appartements, deux époques de vie, il est utile de se ménager un sas, un espace en soi pour prendre le temps de sentir ce qui reste constant. Le sas permet de faire un pont entre le passé et l'avenir, de sentir la continuité de la vie entre l'ancien et le futur. On observe les ressemblances et les différences et comment ces différences vont pouvoir se montrer constructives.

Dans le sas, il s'agit de se sentir vivre en soi, de sentir la confiance en soi, en ses ressources personnelles. Évoquez d'autres changements déjà traversés avec succès.

3. L'anticipation

Visualisez le futur. Imaginez ce qui va être. Projetez-vous dans l'avenir et décidez de ce que vous voulez.

3

L'arrivée d'un nouveau bébé

Oui, c'est une sacrée épreuve, dont certains ont du mal à se remettre. Maman est moins disponible, elle s'occupe « toujours » du bébé. Elle est fatiguée, voire épuisée par les nuits sans sommeil. L'aîné doit attendre pour qu'on s'occupe de lui. Il se fait même parfois gronder à cause de ce nouveau venu. Pourtant, il a encore besoin des attentions de sa maman, on lui demande de devenir grand avant l'âge ! On attend de lui tous les efforts, toutes les adaptations, sous le prétexte que l'autre n'est qu'un bébé ! Et puis, on lui avait annoncé un copain de jeux ! Il découvre qu'il ne peut pas jouer, ce bébé ne sait que pleurer et dormir. Maman le couvre de baisers, il reçoit plein de cadeaux... « C'est pas juste ».

Plus l'enfant est grand, mieux il gère cette irruption dans sa vie. Cependant, espacer les enfants présente d'autres inconvénients. Il n'y a pas de solution idéale. Avoir des frères et sœurs est une épreuve, dépassée, elle devient une grande richesse.

Être l'aîné n'est pas simple, le cadet non plus, et ne

parlons pas de la position intermédiaire du « moyen ». Bref, aucune position n'est confortable et aucune de nos réassurances, et surtout pas le « je vous aime tous pareil », n'y changera quoi que ce soit.

Dans cet ouvrage centré sur les émotions, je n'évoquerai pas les relations fraternelles, l'amour et la rivalité, l'imitation et les conflits, je me contenterai de souligner ce changement important dans la vie de l'enfant.

Il doit faire le deuil de sa position de dernier-né, accepter de partager le temps des parents, souvent aussi sa chambre et ses jouets. Il est détrôné... et cela ne va pas sans affect. Il est naturel et normal, voire sain, que votre enfant vous exprime de la **colère** pour avoir mis au monde un nouveau bébé. Cette naissance peut constituer pour lui une menace de séparation. Il peut être angoissé, se sentir abandonné, avoir **peur** de perdre votre amour :

« Maman veut un autre enfant = je ne lui suffis pas ! »

ou

« Je suis trop grand, elle préfère un bébé, elle ne m'aime plus. »

Il peut avoir peur de vous perdre pour de bon :

« Elle ne va pas revenir de la maternité. »

(Cette conviction est très répandue. Voir sa maman revenir est un immense soulagement.)

Vous avez forcément moins de temps pour lui, il doit accepter de passer en second, **il est triste**.

Prétextant refuser d'infliger à son fils cette détresse, Cyrille a décidé de ne pas concevoir de second enfant ! Mais être enfant unique n'est pas une panacée ! Se voir détrôné par un petit frère ou une petite sœur n'est pas facile à vivre, mais c'est intéressant et fructueux pour le futur. Doit-on lui éviter l'épreuve ou l'aider à la traverser ?

Les appels à la raison, à la morale, sont inutiles et blessants. Montrez-lui que vous comprenez sa détresse. Écoutez toute la gamme des émotions de votre enfant, accompagnez-le dans ce long travail d'acceptation.

Plutôt que de lui lister les avantages à avoir un frère ou une sœur, faites-lui donc faire la liste lui-même, sans omettre les inconvénients !

Le nouveau venu perturbateur peut aussi être un beau-père, une demi-sœur... Tout nouvel arrivant suscite un bouleversement de l'équilibre familial, et donc des émotions. Les recompositions familiales ne sont pas toujours simples. Votre enfant doit accepter un nouveau papa, une nouvelle maman, des demi-frères, ou demi-sœurs... Ils ne sont pas obligés de s'aimer. Vous avez choisi un nouveau compagnon, une nouvelle compagne. Les enfants, eux, ne se sont pas choisis. Cependant, tout le monde peut arriver à s'apprécier suffisamment pour vivre ensemble, à condition que les choses soient dites et les émotions de chacun entendues et respectées.

4

Les dissensions
dans le couple parental

Vous vous disputez souvent avec votre conjoint ? C'est la rancœur qui anime vos relations ? Vous croyez qu'il vaut mieux ne rien dire aux enfants pour ne pas les inquiéter ?

Attention, ils ne sont pas idiots. Ils sentent les choses même si vous avez été attentifs à ne jamais avoir une discussion devant eux (surtout dans ce cas, car votre attention à dissimuler souligne à leurs yeux combien il y a danger. Tous leurs sens sont aux aguets).

Même quand ils dorment, une partie d'eux continue de capter ce qui se passe autour. Cela nourrit leurs rêves, leurs cauchemars, leurs images mentales inconscientes. S'ils ne sont pas conscients quand ils reçoivent ces images et sont donc incapables de mettre des mots dessus, ils peuvent en être d'autant plus perturbés. Quand on peut identifier les choses, on peut les placer à distance, elles nous envahissent moins.

Les enfants souffrent des disputes parentales. Surtout s'ils ne les comprennent pas, n'en voient que la surface, ne pénètrent pas les causes profondes. Écoutez-les et parlez-leur. Osez aborder le sujet. Faites-le dans un esprit de respect envers votre conjoint même si vous êtes très fâché contre lui. C'est aussi leur père, ou leur mère.

Tout d'abord écoutez, sans juger, sans prendre parti, sans vous justifier ou excuser votre conjoint, écoutez simplement ce que ressent votre enfant.

« Qu'est-ce que ça te fait quand on se dispute papa et moi ? »

« Ce n'est pas agréable pour toi quand on se fâche maman et moi... »

« Tu es inquiet quand tu nous entends nous quereller ? Qu'est-ce que tu te dis dans ta tête ? »

Ne vous justifiez pas. Il n'est pas votre juge, il est votre enfant. Ne ramenez pas les phares sur vous ou sur votre conjoint. Restez centré sur lui. Il a besoin d'un espace de parole. Il a besoin de se sentir important. Écoutez ses sentiments, ses pensées, ses doutes.

Répondez à ses questions quand elles seront devenues de vraies questions et non lancées comme des hameçons pour pêcher quelque lambeau de vérité. Ne lui mentez pas. Soyez vrai. Vous avez le droit de ne pas savoir et de le lui dire, mais pas de faire semblant.

Enfin, rassurez-le : ce n'est pas sa faute si vous ne vous entendez pas avec son père ou sa mère et vous l'aimerez toujours.

5

Vous divorcez

« Je ne me vois pas les réunir ou même les prendre un par un et leur annoncer en les regardant dans les yeux : "Voilà, papa et moi on ne s'entend plus, on va divorcer." »

Parler honnêtement à ses enfants de ce que l'on éprouve, affronter leurs regards, leurs réactions, leurs émotions, est si difficile pour nombre de parents qu'ils préfèrent tout simplement ne rien dire... jusqu'à la veille, voire jusqu'au jour même du départ. Certains quittent le domicile sans proférer mot. Les arguments sont légion :

« Je ne veux pas qu'ils souffrent. »

« Si je leur dis que je me sépare et que je reste encore un mois ou une semaine, ils ne comprendront rien. »

« Inutile de les traumatiser à l'avance. »

« Tant que je ne suis pas sûr d'avoir trouvé un autre logement et donc de partir, inutile d'en parler. »

« Je ne veux pas montrer mes hésitations. »

« C'est une histoire d'adultes, inutile d'y mêler les enfants »...

L'adulte oublie que lui a mûri sa décision longuement avant de la prendre. Une séparation implique une profonde transformation de la vie de l'enfant, pourquoi n'aurait-il pas le droit de s'y préparer lui aussi ?

« J'attends d'avoir pris une décision », me confie Anne, mère de trois enfants. Elle ne veut pas les alarmer pour rien.

Annoncer des changements de cap toutes les trois minutes est certes toxique. Mais voyez le temps qu'il vous faut pour prendre une telle décision, pour vous faire à l'idée d'une séparation ! Et vous ne leur annoncerez que lorsque ce sera sûr ? Pour eux, tout ira bien trop vite.

Il vaut mieux parler aux enfants au plus tôt, même de nos hésitations, et surtout les écouter. Nous avons peur de les insécuriser en évoquant nos propres incertitudes ? En réalité, l'expérience montre qu'être mis face à une décision de divorce sans l'avoir vue venir déstabilise davantage que de pouvoir partager avec ses parents. Parlez avec votre cœur, votre enfant se sentira sécurisé. Il verra que vous le prenez en compte. Vous le tenez au courant. Il ne le vivra pas comme une décision hâtive et incompréhensible. Il souffrira, bien entendu, mais il aura la permission de souffrir à haute voix plutôt que d'étouffer son inquiétude dans le silence.

Ce n'est pas pour éviter aux enfants de souffrir qu'on ne leur dit rien mais pour éviter de faire face à leurs émotions... comme à leurs réflexions (im)pertinentes. **Nous n'osons pas affronter le regard de nos enfants, leur jugement.**

Plutôt que de leur mentir, si nous utilisions leur regard pour ne pas commettre d'impair ?

Derrière l'hésitation se dissimule souvent un sentiment de culpabilité vis-à-vis de l'enfant. La croyance dans l'idée qu'un divorce perturbe gravement les enfants est tenace. Il est indéniablement préférable de vivre avec un papa et une maman qui s'aiment et ont une relation harmonieuse. Mais quand ils ne s'aiment pas ou plus ? Quand ils se disputent, se fâchent, se méprisent ou se détruisent ?

Nombre d'adultes racontent en psychothérapie combien ils ont souffert des dissensions entre leurs parents, de leurs disputes, de leurs jeux de pouvoir, de la souffrance qu'ils s'infligeaient... et leur en veulent de ne pas avoir eu le courage de se séparer, de s'être soumis devant des actes ou des paroles inacceptables, ils leur en veulent de cette image négative du couple. Ils en ont été marqués profondément, cela a rendu leurs relations amoureuses difficiles.

Quand tout a été tenté pour réconcilier le couple, quand l'amour n'est pas au rendez-vous, la séparation peut être libératrice pour tous. La question n'est donc pas de savoir si le divorce est destructeur en soi, mais : « Comment se séparer dans un climat de communication et de respect mutuel ? » **C'est l'impossibilité d'en parler ou d'exprimer ses émotions, sa colère ou sa tristesse, ses peurs, qui détruit.**

Nous devons faire face à la réalité d'aujourd'hui. Les hommes et les femmes ne supportent plus de vivre des relations aliénantes. S'ils ne sont pas heureux ensemble, ils préfèrent se séparer. En France, quinze pour cent des familles sont monoparentales (en pourcentage total des ménages ayant des enfants mineurs), et elles sont jusqu'à vingt-trois pour cent en Angleterre [1].

---

1. *Courrier international* n° 431, du 4 au 10 février 1999, p. 48.

La vérité sort de la bouche des enfants

Quand les parents ne s'entendent pas, les enfants le savent. Ils le flairent, sans toujours mettre des mots dessus. Même si les parents mettent un point d'honneur à ne pas se disputer devant les enfants, peine perdue, ces derniers le sentent.

Cécile pensait à se séparer de son mari depuis quelque temps, mais ne lui en avait pas parlé. Elle me soutint que les enfants n'étaient pas au courant. Je lui ai proposé de tendre un peu mieux l'oreille à ce qu'ils disaient. Le soir même, et à sa grande stupéfaction, son fils de six ans lui a demandé :

« Dis maman, si tu divorces, j'irai avec qui ? »

Heureusement, nous avions préparé les réponses ensemble. Elle a su l'écouter. Suite à cette conversation, il est redevenu bon en calcul ! Cécile a alors réalisé la situation. Son fils était si plein de questions sans réponses qu'il en était freiné dans ses apprentissages, surtout sur les divisions ! En effet, comment aborder cette opération quand on sent confusément que sa famille risque de se diviser ?

Les enfants sentent mais n'osent pas parler, de peur de faire exploser le non-dit, de peur d'aggraver les choses, voire d'accélérer une séparation effective. Cela ne signifie pas qu'ils n'aient pas besoin d'en parler ! C'est à l'adulte de faire le premier pas.

La séparation est-elle un traumatisme ?

Sauf cas de violence sur lui ou entre ses parents, ou d'abus sexuels à son égard, aucun enfant ne désire que ses géniteurs se séparent. Mais il est important de voir que, une fois devenus adultes, les anciens enfants reprocheront davantage à leurs parents d'avoir continué de s'entre-déchirer, d'avoir vécu une vie de couple morne et sans amour, d'être déprimés ou malheureux, que de s'être séparés. Ce que les enfants du divorce reprochent le plus à leurs parents, ce n'est pas la séparation en elle-même, c'est de ne pas avoir été écoutés, considérés, informés.

La séparation peut se montrer douloureuse, elle est loin d'être systématiquement toxique. Il est vrai qu'il y a des enfants qui se montrent très perturbés par un divorce, mais il y en a aussi qui sont soulagés parce que les choses sont enfin claires. Ils vont pouvoir avoir deux parents en face d'eux. Ils ont le droit d'en parler, ce dont peut-être ils ne se donnaient pas la permission avant. Ils redeviennent souriants et libres.

Lorsque les parents de Sylvia se sont finalement séparés, elle avait déjà trente ans. Pourtant, elle en a été bouleversée. Nombre de secrets ont été dévoilés. Certains sujets, jusque-là tabous dans la famille, ont été abordés. Elle a pris conscience d'avoir vécu presque toute son enfance dans le mensonge. Ce qu'elle pressentait des relations entre ses parents était donc juste ! Elle n'avait jamais tout à fait cru à cette façade qu'ils mettaient en avant, elle ne les sentait pas heureux l'un avec l'autre, mais elle n'avait jamais osé lever le voile. Avec cette image déformée de l'amour, elle avait rencontré bien des déboires dans ses aventures amoureuses. La séparation de ses parents fut une épreuve douloureuse, mais vraiment bénéfique. Après la séparation, et surtout après avoir entrevu la réalité de ses parents, elle a pu se libérer du poids de son passé et rencontrer un homme avec lequel elle vit aujourd'hui.

Petite, elle n'aurait pas voulu que ses parents se séparent. Pourtant, aujourd'hui, elle pense que si son père était parti plus tôt beaucoup de choses se seraient mieux passées pour elle. Elle croyait qu'il rendait sa mère malheureuse, elle lui en voulait de son comportement, elle en voulait à sa mère de sa soumission et de son absence de joie. Les voir séparément lui aurait permis d'établir des relations plus profondes avec son père, comme avec sa mère. Son père fuyait régulièrement la maison, rentrait tard, ne partait pas en vacances avec eux.

Paradoxalement, un divorce peut permettre à certains enfants de découvrir leur père ! Grâce aux jours de visite, ils le voient davantage. Avant, il rentrait tard le soir, passait ses week-ends à dormir, ou à travailler sur des dossiers urgents. Malheureusement, certains papas disparaissent à jamais après une séparation.

Le devoir le plus important que nous ayons envers nos enfants, après celui de les nourrir et de les protéger, est d'être heureux ! Si un divorce peut nous y aider, il sera le bienvenu pour l'enfant. Bienvenu ne signifie pas facile à vivre. Prenez le temps d'écouter ses émotions, et de l'accompagner dans le travail de deuil de sa famille, puis dans la construction de nouveaux liens avec chaque parent.

La séparation n'est pas traumatique *per se*. C'est

l'impossibilité d'exprimer ses sentiments, l'interdit posé sur la colère, la peur, la tristesse, le déni des émotions qui font du divorce un traumatisme.

Cependant, élever un enfant seule (ce sont massivement les femmes qui assument les enfants dans les familles monoparentales) est très dur. Il serait bon de repenser le tissu social pour rompre l'isolement de ces mères.

Vos enfants vous veulent heureux et épanouis

Nous prêtons souvent à nos enfants un jugement qui n'est autre que celui de nos parents !

Patricia vivait seule avec ses enfants depuis des années. Elle n'avait jamais accepté d'autre homme dans sa vie, imaginant que les enfants ne supporteraient pas qu'elle « remplace » leur père. Osant enfin leur parler et les écouter, elle a découvert avec stupéfaction que ses enfants (huit et douze ans) avaient au contraire très envie qu'elle tisse une relation amoureuse.

Paula, vivant seule avec son fils de seize ans, n'osait pas sortir le soir. Elle avait peur de le mécontenter et voulait réparer l'abandon du père. Elle ne l'abandonnerait jamais ! En réalité, lui avait très envie de la voir sortir et s'amuser. Il n'osait pas le lui dire, de peur qu'elle ne l'interprète comme un désamour. Chacun, voulant protéger l'autre, s'enfermait en lui. L'agressivité entre eux montait en proportion, inexorablement. Ils se chamaillaient... pour ne pas se dire.

Peut-on remplacer un père absent ?

Il y a un pourcentage très élevé, trop élevé, de pères qui ne voient plus leurs enfants après un divorce. Pour ne pas affronter la douleur, ou leur sentiment de culpabilité, ils cherchent à effacer tout simplement le passé. Il y a même des agences qui aident les gens à fuir ! Elles les effacent de la carte, ils sont portés disparus. On leur fournit une nouvelle identité, le plus souvent dans un autre pays. Mais que ressentent les enfants ?

Chaque parent est responsable de lui-même et de l'image qu'il donne aux enfants, des messages qu'il leur adresse par ses comportements encore plus que par ses mots.

Je ne pense pas que ce soit à la mère de porter l'image du père. Certains psychanalystes ont imputé à la mère toute la responsabilité de l'image du père. L'absence réelle du père n'était soi-disant pas importante. Seule était signifiante l'absence de l'image du père dans le langage de la mère. On voit combien les pères ont rationalisé ! Combien ils se sont sentis obligés d'inventer des théories pour justifier leur absence à la maison !

Il est vrai que la position est confortable, étant absent, on est volontiers idéalisé. Tandis que la présence à la maison expose inévitablement aux conflits. L'absence éloigne les critiques et les remises en cause.

« Mon père, c'était Dieu ! » Puis d'une petite voix : « Il n'était jamais là. » Ces quelques mots en disent long sur l'image de toute-puissance qui lui était conférée. Sandrine a du mal maintenant à comprendre comment, entre une mère « sainte » qui se dévouait corps et âme et un père qui était Dieu, elle pouvait être si dépressive, si passive devant la vie, si soumise devant autrui, si malheureuse.

Les enfants n'ont pas besoin de parents idéalisés. Ils ont besoin de parents vrais. Même si la réalité n'est pas très engageante, elle sera toujours plus saine pour la construction de leur personnalité qu'une image idéale plaquée. Les émotions ont alors besoin d'être entendues.

Comment annoncer une séparation ?

◊ Prenez votre temps et n'annoncez pas tout de go la nouvelle. Parlez de vous, de vos sentiments. Une fois que les choses sont dites, partagez des émotions avec les enfants. N'hésitez pas à pleurer ensemble (sans vous appuyer sur eux pour recevoir une consolation !).

◊ Ne répondez pas par avance à des questions que les enfants n'ont pas posées et que donc ils ne se posent peut-être pas encore. Laissez-les venir à leur rythme. D'où l'importance de leur parler depuis le début.

◊ Écoutez-les ! Sans juger, sans vous justifier... Écoutez leurs perceptions, ce qu'ils ressentent, ce qu'ils se disent, ce qu'ils imaginent.

◊ Accueillez et accompagnez leurs sentiments de colère, de peur, de tristesse. Ce sont des réactions saines et utiles.

6

L'accident, la maladie, la souffrance

Si nous sommes responsables de notre santé par notre mode de vie, notre nourriture, notre capacité à gérer stress et émotions, nous ne sommes pas tout-puissants. Personne n'est à l'abri de la maladie ou de l'accident. On ne peut pas toujours éviter la douleur à nos enfants. La souffrance de l'enfant est une épreuve pour l'adulte. Il lui demande alors de se montrer courageux, de ravaler ses larmes... de ne pas montrer sa souffrance pour ne pas le mettre dans l'embarras.

Mais refuser d'écouter les pleurs et d'entendre la douleur peut blesser l'enfant profondément, et provoquer des ravages dans son avenir.

Marcel a une cinquantaine d'années. Il est hospitalisé en urgence pour une péritonite aiguë ! L'infection faisait rage depuis des semaines, il n'avait rien senti... parce qu'il avait appris à ne rien ressentir depuis sa toute petite enfance.

L'enfant ne peut se permettre de vous perdre et il fait toujours tout pour vous soulager (si, si, même quand il vous fait tourner en bourrique ! C'est alors son seul moyen d'expression, mais c'est encore pour vous protéger).

Un enfant n'exprime que ce qu'il a le droit d'exprimer. Il peut aller jusqu'à apprendre à ne plus sentir la souffrance s'il perçoit que c'est plus confortable pour vous. Il va se replier sur sa douleur, ou s'insensibiliser.

Abstenez-vous donc de valoriser l'absence de larmes. Si une infirmière lui demande de se montrer fort ou lui ment en lui disant que la piqûre ne fait pas mal, intervenez ! Dites directement à votre enfant qu'il est le seul à être dans son corps et donc le seul à savoir ce qui lui fait mal ou non. Il a le droit de le dire et de le manifester. De même, si un visiteur, que ce soit un ami, votre belle-mère ou votre propre père, lui dit :

« Tu es un grand garçon, tu »...

Répliquez : « Il n'a pas à prendre en charge les difficultés des adultes à gérer leurs affects ; c'est important de pleurer et de se plaindre quand on a mal. »

Si vous recevez ses larmes, restez attentif à sa plainte, votre enfant se sentira entendu, compris, accompagné. Et quand on se sent ainsi soutenu, il est plus facile de supporter la douleur.

S'il est hospitalisé hors de votre présence, expliquez-lui que les autres ne savent pas trop comment se comporter face à la souffrance, et que c'est pour cette raison qu'ils valorisent l'absence d'émotions. Apprenez-lui à rétorquer : **« C'est moi qui suis malade, c'est mon corps, c'est moi qui sens ce qui fait mal et ce qui ne fait pas mal, et j'ai le droit d'avoir mal et de le dire. »**

Aidez votre enfant à pleurer, à gémir, même à crier s'il a très mal. Il embêtera peut-être médecins et infirmières, mais votre enfant est plus important qu'eux à vos yeux.

X

QUELQUES IDÉES
POUR VIVRE PLUS HEUREUX
AVEC VOS ENFANTS

Au-delà de votre fonction de parent, vous êtes une personne. L'enfant est lui aussi une personne. Vous avez des besoins, l'enfant en a aussi. Le conflit de besoins peut engendrer une compétition, le plus souvent inconsciente mais néanmoins malsaine, entre le parent et l'enfant.

Les quelques pages qui suivent vous présentent quelques idées importantes et outils concrets pour vous aider à éviter les jeux de pouvoir et être davantage vous-même.

1

Soyez heureux

Les petits apprécient une certaine routine dans le quotidien, ils y trouvent leurs repères. Mais quand leurs parents vivent avec soumission et non avec bonheur « métro, boulot, télé, dodo », ils les regardent et ils se posent des questions. Pourquoi grandir, travailler à l'école et devenir adulte, si c'est pour entrer dans un tel système aliénant ? Nous sommes des modèles pour nos enfants.

Inutile de vous sacrifier pour eux, votre bonheur est un des éléments fondamentaux de leur épanouissement. Parce qu'il donne envie de grandir et que cela les libère de la charge de vous rendre heureux. De plus, un parent heureux est plus disponible affectivement pour son enfant !

Les besoins du nouveau-né passent en premier, c'est vrai. Au-delà, votre sacrifice lui sera un véritable poison. Vous lui en voudrez immanquablement. Fatigué(e), en manque d'espace, vous aurez de plus en plus de mal à lui donner. Vous reposer, vous ressourcer, voir des amis, faire du sport, sortir, vous occuper de vous suffisamment sont nécessaires pour ne pas vous sentir exaspéré(e) à la moindre anicroche.

Le sacrifice est plutôt une tentation féminine. Mais il est aussi des hommes qui sacrifient leur vie à l'idée qu'ils se font des besoins de leurs enfants. Le sacrifice est rarement gratuit, le parent s'attend à être payé de retour... et l'enfant découvre avec désespoir que c'était un marché et non un don.

Pour ne pas ressentir la frustration sous le sacrifice, nombre de femmes utilisent la technique de la surcompensation. Elles s'oublient, n'écoutent pas leurs propres besoins ou émotions et se centrent entièrement sur leurs enfants. Elles couvent leurs petits, les surprotègent, se montrent hyperattentives et indispensables, prêtes à tout donner, à satisfaire le moindre désir... interdisant ainsi à l'enfant non seulement toute autonomie, mais aussi sa colère. Cette colère qu'elles répriment si fort en elles-mêmes. Elles nourrissent ainsi chez lui une intense rage inconsciente, qui n'explosera que bien plus tard, ou se retournera contre lui.

Vivez votre vie, plutôt que de vivre par procuration à travers vos enfants.

L'enfant tente de réparer son parent

Quand un des parents est déprimé, angoissé, malheureux, qu'il le montre ou non, l'enfant le sent et tente de le réparer.

Mireille a été une enfant adorable et sans problème. Elle avait toujours le sourire et le mot pour rire. Elle était drôle, faisait pitrerie sur pitrerie, un vrai petit clown. En apparence donc, l'enfance de Mireille a été heureuse. En réalité, Mireille ne s'est jamais senti le droit d'être elle-même. Sa mère était dépressive. Elle la sentait malheureuse. De plus, comme sa maman ne lui disait jamais vraiment ce qui lui faisait mal, Mireille en concluait à sa responsabilité ! Confusément, elle s'imaginait être de trop, et tentait de justifier sa place en ne demandant que le moins possible et en faisant rire.

Mireille se contrôlait en permanence pour ne pas avoir trop de besoins, elle dissimulait ses émotions sous un sourire permanent. Elle s'était donné la mission impossible de rendre sa maman heureuse. Toute sa vie elle a gardé son sourire, quelles que soient les circonstances. Toujours gaie, elle ne semblait touchée par rien. Au perpétuel service d'autrui, elle faisait systématiquement passer les besoins des autres avant les siens propres. Sa vie a été guidée par ses convictions : « Je n'ai pas de besoins, je n'ai pas le droit d'avoir une vie à moi », et « un enfant est un poids ».

Mireille se réalise professionnellement, dans un métier de don aux autres comme de bien entendu, et elle a eu bien du mal à maintenir une relation stable et harmonieuse avec un homme. À l'âge de quarante-huit ans, elle n'a pas eu d'enfant.

Comment ne pas charger nos enfants de nos difficultés à vivre ? Les dissimuler est inutile, l'enfant les sent. La première chose est d'en parler honnêtement avec lui. Si la mère de Mireille avait partagé avec elle les raisons pour lesquelles elle était si triste, Mireille ne se serait pas culpabilisée. **Elle ne se serait pas lancée dans cette périlleuse et impossible mission de tenter de guérir sa maman, elle aurait eu le droit d'avoir elle aussi des besoins.**

Jusqu'à Françoise Dolto, l'idée communément admise était qu'il ne fallait rien dire aux enfants pour ne pas les inquiéter. Ils n'étaient pas en âge de comprendre les affaires des grandes personnes. Cela ne les concernait pas... Aujourd'hui nous savons que les enfants peuvent tout comprendre pour peu qu'on leur explique. Leur parler les rassure parce que cela leur permet de mettre des mots sur leurs impressions. Cela les aide à se considérer comme des personnes séparées de leurs parents et donc à ne pas les prendre en charge.

Sachons que tous les problèmes auxquels nous refusons de faire face seront à la charge de nos enfants ou petits-enfants. Est-ce vraiment ce que nous voulons pour eux ?

Timidité excessive, manque de confiance en soi, hontes, sentiments de culpabilité, angoisses, mauvaises relations dans le couple, échecs professionnels, ne sont pas génétiquement programmés et pourtant se transmettent, parfois en sautant une génération.

Comment va votre couple ? Comment vous réalisez-vous dans votre travail ? Votre vie a-t-elle un sens ?

N'enterrez pas ces questions, sous peine de voir plus tard vos enfants se débattre avec.

Vous rencontrez une période financière difficile, vous êtes au chômage, menacé de licenciement, ou vous avez des prises de bec sévères avec votre patron... parlez-en. Sans vous montrer excessivement alarmiste, partagez votre vécu, vos sentiments, de manière à alléger le poids que portent les enfants.

Les secrets sont toujours toxiques. Votre enfant n'est pas de son père ? Dites-le-lui. Vous avez été violée

à dix-sept ans ? Dites-le-lui. Vous avez fait faillite ?
Dites-le-lui. Vous avez fait de la prison ? Dites-le-lui.
Vous n'avez jamais eu votre bac ? Dites-le-lui. Votre
père vous frappait ? Dites-le-lui.

Dites-lui aussi ce qui a été joyeux, mais n'évitez pas
les épisodes sombres de votre vie. Si vous les taisez, il
en sera inconsciemment marqué. Vous serez stupéfait
de le voir entrer dans les mêmes ornières que vous, se
faire violer au même âge (ou rencontrer une femme qui
s'est fait violer, voire violer lui-même une jeune fille), se
mettre en faillite, risquer la prison, échouer dans ses
études, faire des bêtises jusqu'à vous exaspérer et provoquer des coups...

Ce processus de répétition a pour fonction de lui
permettre de sentir de l'intérieur ce qui s'est passé pour
vous, pour vous comprendre, et trouver une autre issue
au même problème. En exprimant simplement vos
émotions, en mettant des mots sur votre vécu, vous
pouvez le libérer de ce poids.

Et... pensez à prendre contact avec la part de joie
en vous. Respirez, sentez la vie en vous, rappelez-vous
la simple joie de vivre. Ne vous laissez pas envahir par
le quotidien et son lot de difficultés. Prenez le temps
de ressentir l'amour que vous portez à ceux qui vous
entourent et à vos enfants, de sentir que vous avancez
sur votre chemin, que vous êtes heureux de la vie que
vous menez. Vous n'êtes pas heureux dans votre vie ?
Cancer, infarctus ou dépression ne vont pas soulager
vos enfants.

Prenez les moyens de changer, faites-vous aider, et
communiquez avec vos enfants.

2

Écoutez

« Écouter, écouter, je veux bien mais il ne me dit rien ! »

Combien de fois ai-je entendu cette litanie désespérée dans la bouche de parents désabusés. C'est qu'il ne suffit pas d'ouvrir son cœur et ses oreilles pour qu'un enfant parle !

Il a besoin pour se livrer d'avoir la certitude d'être entendu et accepté **sans jugement** dans ses sentiments. Or, avouons-le, il est parfois difficile de se contenter d'entendre un problème sans prendre parti, donner des solutions ou son avis, d'écouter une émotion sans chercher à rassurer, à colmater, à réparer.

Ordres variés, menaces, sermons, leçons, conseils, critiques, humiliations, culpabilisations, mais aussi flatteries, réassurances excessives ou diversions sont à proscrire. Tout ce que l'enfant en comprend, c'est que ses émotions ne sont pas les bienvenues et que vous le pensez incapable de se dépêtrer seul de ses aventures !

Chaque fois que nous solutionnons un problème à sa place, nous lui enlevons une possibilité de développer son autonomie. Chaque fois que nous lui expliquons quelque chose qu'il sait déjà, il se sent humilié, diminué.

Écouter consiste à faire écho à l'émotion pour que l'enfant se sente accepté tel qu'il est et s'entende en profondeur. Il ne s'agit pas tant d'écouter les mots que d'en entendre l'écho affectif.

Il vous raconte une altercation avec un copain ou un professeur, il relate un échec ou anticipe une difficulté, il se plaint de son père ou de son frère ? **Écoutez les émotions et non les faits !**

Écoutez avec votre corps

Tout le monde porte son vécu interne dans sa posture physique. En vous plaçant dans une posture similaire à l'enfant, vous vous mettez à sa portée, et vous écoutez nettement mieux.

Faites l'expérience, affalez-vous bien en arrière sur votre chaise, les jambes écartées et les bras ballants, vous ne pouvez pas ressentir de la peur. Certaines positions rendent les émotions tout simplement impossibles. Votre corps envoie des messages inconscients à votre enfant. Comment peut-il vous faire confiance dans votre capacité à le comprendre, si vous êtes confortablement affalé dans votre fauteuil alors qu'il vous confie sa timidité devant une copine ? Vous ne pouvez à ce moment-là être en contact avec son sentiment, c'est physiologiquement impossible. Il sait donc que vous ne l'écoutez pas « vraiment ». Vous écoutez les mots, mais pas son vécu.

Écoutez avec votre cœur

Osez laisser résonner en vous l'écho de son vécu.

Inutile de vous mettre à pleurer vous aussi. Il ne s'agit pas de se laisser contaminer par ses émotions ! Votre enfant a besoin de votre compassion, que vous éprouviez ce qu'il éprouve, que vous compreniez ce qu'il vit, non pas avec votre tête mais dans votre cœur, mais il n'a pas besoin que vous sombriez avec lui. Pis, si vous pleurez, il s'interrompra pour ne pas vous blesser !

Attention, si votre enfance vous a laissé un goût d'amertume, si un paquet d'émotions du passé reste non exprimé, ces affects anciens et réprimés pourraient bien se mélanger à ce ressenti nouveau et faire des nœuds. Identifiez et mettez de côté vos propres sentiments d'enfant, vous vous en occuperez à un autre moment.

Respirez profondément (par le nez), en imaginant que vous inspirez l'air jusque dans votre bassin, jusque dans votre coccyx.

Ne cherchez pas à solutionner le problème, mais à aider votre enfant à exprimer ce qu'**il** ressent. Accueillez ses émotions, comme si vous étiez un bol qui accueille de l'eau.

Soyez un contenant de ses affects, sans les interrompre. Aidez-le à se déverser en vous. Et envoyez-lui seulement de la tendresse en échange, ni peur, ni colère, ni tristesse pour lui... de la tendresse, pour lui donner la solidité, la confiance nécessaire pour affronter sa difficulté.

Aidez-le à préciser son vécu à l'aide des termes suivants.

Les mots que vous pouvez utiliser

C'est dur pour toi de...
C'est difficile...
Je vois que... (tu es triste, ça ne va pas trop bien aujourd'hui...)
J'imagine que...
Je comprends que tu dois souffrir de...
Tu es... (triste, en colère, inquiet...)
Tu te sens triste à l'idée de... (ne plus voir votre maison...)
Tu as envie de... (te venger, ne plus jamais le voir, lui téléphoner...)
Tu aimes... (la musique, les oiseaux, les animaux...)

Pour l'aider à aller plus loin, posez aussi des questions ouvertes

Bannissez le « pourquoi ? » qui peut être vécu comme culpabilisant et qui fait appel à la réflexion plus qu'au ressenti qui nous intéresse, et tentez des questions en termes de « qu'est-ce que », « comment », ou « de quoi ». Faites l'expérience, vous verrez la différence.
Qu'est-ce qui se passe ?
Qu'est-ce que ça te fait ?
Qu'est-ce qui se passe pour toi quand ...
Qu'as-tu ressenti quand...
Qu'as-tu pensé quand...
Qu'est-ce qui te rend le plus triste ? en colère ? (quand cette émotion est manifeste)
Qu'est-ce qui te manque le plus ?

Qu'est-ce qui te préoccupe le plus ?

Qu'est-ce que tu penses (de l'attitude de cette personne, de tel comportement...) ?

Comment ressens-tu... (cet événement, heureux ou malheureux) ?

Comment vis-tu les choses ? (cette situation)

Comment comprends-tu cela ? (cette difficulté)

Qu'est-ce que tu imagines ?

De quoi as-tu peur ?

De quoi as-tu le plus peur ?

De quoi as-tu besoin ?

Quand votre enfant vous a confié suffisamment d'éléments, vous pouvez tenter une reformulation complète (attention, il ne s'agit pas d'une interprétation surgie de je ne sais où, mais de la reformulation de ce qu'il vous a dit).

Quand... tu te sens... parce que...

Voici deux exemples de ce type de phrase :

« Quand tu poses une question et que ton professeur te dit que tu es nul, tu te sens en colère parce que tu aurais besoin qu'il t'aide à comprendre. »

« Quand ta sœur reçoit ses copines, tu te sens seul et triste parce que ça te rappelle que ton meilleur copain a déménagé. »

Ce n'est que lorsque la situation a été longuement parlée, et toutes les émotions exprimées, que vous pouvez en venir à :

Qu'est-ce que tu imagines comme solution ?

Qu'est-ce que tu peux faire ?

Qu'est-ce que je peux faire ?

Qu'est-ce que nous pouvons faire ?

Comment puis-je t'aider ?

Communiquez
avec le corps, le cœur, la tête,
et de personne à personne

Caresses, bisous

Et massages, chatouilles, bagarres, courses-pour-suites où l'on s'attrape... sont d'irremplaçables contacts pour dire « je t'aime », « je t'accepte tel que tu es », et aider l'enfant à construire un sentiment profond de confiance en son corps et en lui, à condition bien entendu de respecter les limites qu'il pose. Cessez immédiatement vos chatouilles ou vos bisous quand l'enfant vous demande d'arrêter.

Il est très tentant de chatouiller et bisouiller un petit... mais le faisons-nous pour notre plaisir ou pour son bien-être ? Si notre plaisir rencontre le sien, tout va bien, mais dès que ce n'est plus le cas, stop ! L'adulte n'a pas le droit d'utiliser le corps de l'enfant pour son plaisir personnel et il est fondamental que l'enfant sache que son corps est à lui et que ses limites seront respectées.

Rêvez ensemble

Votre fille s'arrête en extase devant une superbe robe de mariée, au lieu de la « ramener sur terre », partez avec elle dans le rêve... Imaginez :

« J'aurais des fleurs dans les cheveux, il y aurait du soleil et plein de monde... toi tu mettrais cette robe-là, on mangerait des petits fours... »

Votre fils rêve d'une voiture électrique, rêvez avec lui :

« Tu adores conduire, hein. Je t'imagine dans le jardin, vroum, vroum, ce serait super ! »

Les désirs peuvent toujours être parlés, exprimés, ils soutiennent la vie imaginaire.

Écoutez leurs rêves et partagez les vôtres.

Parlez de vos sentiments

Parlez de ce que vous ressentez dans votre vie quotidienne. Un sentiment d'injustice au travail ? Une frustration après un coup de fil à votre mère ? Une émotion de révolte parce qu'un de vos amis, trop jeune pour mourir, vient de décéder ? Une jalousie envers un collègue ? Partagez vos émotions avec vos enfants. Ils se sentiront plus proches de vous et rassurés sur eux-mêmes.

Évoquez votre enfance

Non pas pour les culpabiliser avec des phrases du style « de mon temps, on n'avait pas tout ça et on vivait bien », mais pour leur permettre de mieux vous connaître, de mieux vous comprendre, et aussi de rencontrer leurs racines. Parlez des faits, des anecdotes, des événements, des comportements des uns et des autres, mais surtout de votre vie intérieure, de ce que vous ressentiez, de ce que vous vous disiez, de ce que vous imaginiez.

Quand Éric a su que son père aussi avait de mauvaises notes à l'école, et surtout pour quelles raisons ce dernier n'arrivait pas à apprendre (son propre père le frappait et le dévalorisait beaucoup), il a pu se sentir rassuré sur son compte et ses notes ont remonté. Ce, à la grande surprise de son papa qui avait pourtant eu l'impression de tout essayer pour le motiver...

Tout ce que vous n'avez pas résolu, vos enfants y feront face d'une manière ou d'une autre !

Parlez de tout

Les enfants sont plus intelligents qu'on ne le croit, ils nous surprennent par la pertinence et la sagesse de leurs réflexions et pourtant nous leur dissimulons nombre de choses sous prétexte que ce n'est pas de leur âge.

Télévision aidant, aujourd'hui ils sont bien plus informés que nous ne l'étions. Il est important de tenir compte de cette donnée et de ne pas hésiter à approfondir les sujets, de manière à ce que des informations trop superficielles ne donnent pas lieu à des interprétations plus ou moins farfelues.

Communiquez d'âme à âme

N'oubliez pas de voir parfois en vos enfants autre chose que vos enfants. Ce sont des personnes à part entière, qui ont une existence propre, un destin propre. Vous les rencontrez dans cette vie, vous avez même une mission, une fonction auprès d'eux, mais ils ont leur individualité.

« Vos enfants ne sont pas vos enfants.
Ils sont les fils et les filles
De l'appel de la Vie à elle-même
Ils viennent à travers vous, mais non de vous
Et, bien qu'ils soient avec vous,
Ils ne vous appartiennent pas. »

Khalil Gibron, *Le Prophète*

4

Sentez votre bonheur d'être parent

Entourez-vous de photos et de dessins pour entretenir le souvenir de votre amour pour eux, pour réveiller votre tendresse endormie quand ils tachent le canapé, refusent de débarrasser la table ou ont de mauvaises notes à l'école.

Happés par les tâches du quotidien, la lessive, le ménage, la cuisine, les devoirs... nous oublions parfois que nous sommes heureux de vivre ensemble. Tous les parents le disent, l'enfance, ça passe vite, trop vite. Ne ratons pas la rencontre !

Il sera toujours temps de briquer la maison plus tard, quand ils seront partis et que nos quatre murs nous paraîtront bien vides sans cris et rires...

Conclusion

Les émotions ne sont pas dangereuses. Elles ne sont pas seulement le sel de l'existence, mais son essence même. Chaque fois que vous faites taire votre cœur ou celui de votre enfant, chaque fois que vous hésitez à faire confiance à votre voix intérieure, chaque fois que vous n'écoutez pas ce que tente de vous dire votre enfant, vous limitez votre propre vie et la sienne.

La fin est dans les moyens disait le Mahatma Gandhi. Écoutons nos enfants pour qu'ils sachent écouter. Respectons-les, ils sauront respecter autrui. Acceptons de sentir et de libérer nos propres émotions, nous ne leur projetterons plus nos souffrances et saurons accepter leurs pleurs. Accompagnons-les sur la route d'eux-mêmes en suivant les étapes de leur croissance. Aidons-les à exprimer ce qu'ils ont en eux, à avoir conscience de leur identité, confiance en leurs capacités, en leurs goûts, désirs et besoins... En un mot, aidons-les à sentir, nommer et utiliser leurs émotions.

Se préoccuper des émotions est quelque chose de très nouveau. Respecter les enfants et les considérer comme des personnes est aussi quelque chose de très nouveau. Ne nous culpabilisons pas de ne pas toujours y arriver.

Nous devons modifier nos structures sociales pour donner aux parents davantage de moyens et de soutien.

Bibliographie

À lire absolument :

CORNET, Jacqueline, *Faut-il battre les enfants ? Hommes et perspectives*, Revigny, 1997.

SOLTER, Aletha, *Mon bébé comprend tout*, Marabout, Paris, 1998.

SOLTER, Aletha, *Comprendre les besoins de votre enfant*, Privat/Trécarré, Paris, 1993.

Autres ouvrages utiles :

BESSELL, Dr Harold, *Le Développement socio-affectif de l'enfant*, Actualisation, Québec, 1987.

BOUTON, Jeannette, *Bons et mauvais dormeurs*, Gamma, 1971.

BRAZELTON, T. Berry, « *À ce soir...* » *Concilier travail et vie de famille*, Stock-Laurence Pernoud, Paris, 1986.

BRAZELTON, T. Berry, *Points forts, les moments essentiels*

du développement de votre enfant, Stock-Laurence Pernoud, Paris, 1993.

Buzyn, Etty, *Papa, maman, laissez-moi le temps de rêver,* Albin Michel, Paris, 1995.

Cyrulnik, Boris, *Les Nourritures affectives,* Odile Jacob, Paris, 1993.

Cyrulnik, Boris, *Sous le signe du lien,* Hachette, Paris, 1989.

Dolto, Françoise, *Les Étapes majeures de l'enfance,* Gallimard, Paris, 1994.

Dolto, Françoise, *Les Chemins de l'éducation* Gallimard, Paris, 1994.

Ekman, Paul, *Pourquoi les enfants mentent,* Rivages, Paris, 1991.

Garber, Stephen W., Garber, Marianne D., Spyzman, Robyn F., *Les Peurs de votre enfant, comment l'aider à les vaincre,* Odile Jacob, Paris, 1997.

Gordon, Thomas, *Parents efficaces,* Marabout, 1980.

Ifergan, Harry, Etienne, Rica, *Mais qu'est-ce qu'il a dans la tête ?* Hachette, Paris, 1998.

Klein, Melanie, *Envie et gratitude,* Gallimard, Paris, 1968.

Korczak, Janusz, *Le Droit de l'enfant au respect,* Laffont, Paris, 1979.

Korczak, Janusz, *Comment aimer un enfant,* Laffont, Paris, 1978.

Leach, Penelope, *Les six premiers mois,* Seuil, Paris, 1988.

Lieberman, Alicia, *La Vie émotionnelle du tout-petit* Odile Jacob, Paris, 1997.

Manent, Geneviève, *La Dualité, un atout,* Le Souffle d'Or, Barret-le-Bas, 1997.

Maschino, Maurice T., *Y a-t-il de bonnes mères ?* Belfond, Paris, 1999.

Miller, Alice, *C'est pour ton bien*, Aubier, Paris, 1984.

Miller, Alice, *L'Avenir du drame de l'enfant doué*, Presses Universitaires de France, Paris, 1996.

Portelance, Colette, *Éduquer pour rendre heureux*, Les Éditions du CRAM, Québec, 1988.

Purves, Libby, *Comment ne pas être une mère parfaite*, Odile Jacob, Paris 1994.

Risse, Jean-Claude, *Le Pédiatre et les petits poucets*, Stock-Laurence Pernoud, Paris, 1988.

Stern, Arno, *Les Enfants du Closlieu ou l'initiation au Plusêtre*, Hommes et groupes, 1989.

Stork, Hélène E., sous la direction de, *Les Rituels du coucher de l'enfant*, ESF, Paris, 1993.

Wagner, Anne, Tarkiel, Jacqueline, *Nos enfants sont-ils heureux à la crèche ?* Albin Michel, Paris, 1994.

Revue :

Vues d'enfance, UFSE, 53 rue Réaumur, 75002 Paris, tél. 01 42 36 05 84

Annexe

Manifeste

« ÉDUQUER SANS FRAPPER »

Attendu que les enfants ont besoin d'être guidés et non pas de grandir dans un environnement qui leur inculque des réflexes de violence physique,

Attendu que des milliers d'enfants souffrent chaque année d'abus sous couvert de discipline,

Attendu que les punitions corporelles utilisées envers les enfants leur fournissent de pauvres modèles de solution des conflits interpersonnels, modèles dont on sait qu'ils le reproduiront dans un cercle vivieux de la violence,

Attendu que la violence envers les enfants est un mal qui peut être évité puisqu'il existe des méthodes éducatives non violentes qui peuvent être enseignées aux parents,

Attendu que l'O.N.U. a proclamé la période 2001-2010, « décennie pour une culture de la paix et de la non violence pour les enfants du monde »,

**NOUS DEMANDONS QU'IL SOIT MIS FIN
AUX PUNITIONS CORPORELLES
ENVERS LES ENFANTS**

**par qui que ce soit, y compris les parents,
et que soit promue en l'an 2000
une réforme éducative et législative.**

J'approuve le manifeste ci-dessus et demande :

— La promulgation d'une loi interdisant de frapper les enfants pour quelque motif que ce soit.
— La diffusion auprès des parents des informations les aidant à éduquer sans frapper.

Nom, prénom, adresse :   Signature :

À retourner à l'association :

**ÉDUQUER SANS FRAPPER
7, rue Liancourt
75014 Paris**

TABLE DES MATIÈRES

Introduction 13

I. Peut-on développer le Q.E. de nos enfants ? .. 23

  1. L'intelligence du cœur 25
  2. Faites-vous confiance 27

**II. Sept questions à se poser pour répondre
à (presque) toutes les situations** 33

  1. Quel est son vécu ? 35
  2. Que dit-il ? 41
  3. Quel message ai-je envie de lui transmettre ? . 45
  4. Pourquoi je dis cela ? 51
  5. Mes besoins sont-ils en compétition avec ceux
de mes enfants ? 56
  6. Qu'est-ce qui est le plus précieux pour moi ? .. 65
  7. Quel est mon objectif ? 69
  8. Sept questions à garder en mémoire 75

III. La vie est motion 77

  1. Qui suis-je ? Un être d'émotion 79
  2. « Alors, il faut tout leur passer ? » 83
  3. « Je ne le comprends pas » 90
  4. La répression émotionnelle 99

5. Contenir sans réprimer 112
6. « Il m'énerve avec ses jérémiades ! » 122

IV. La peur 131

1. Doit-on écouter ses peurs ? 133
2. Les peurs les plus fréquentes 137
3. Traverser la peur 155
4. Utiliser le trac 163
5. Il est peureux ? 166

V. La colère est au service de l'identité 173

1. La colère est une réaction saine 175
2. Décoder le besoin 183
3. Une réaction physiologique à accompagner 187
4. Quand les parents sont en colère 192
5. Quelques trucs pour éviter la violence à l'instant où vous avez envie de frapper 200
6. Il est colérique ? 202

VI. La joie 207

1. Peut-on apprendre à être heureux de vivre ? ... 209
2. L'amour 215
3. Jeux, cris et rires 217
4. Accompagner la joie 221

VII. La tristesse 225

1. Les larmes nous émeuvent 227
2. La nostalgie 236
3. Accompagner la tristesse 239

VIII. La dépression 241

1. Comment la déceler ? 243
2. L'échec scolaire, un symptôme 248
3. Il est dépressif ? 250

IX. La vie n'est pas un long fleuve tranquille..... 255

1. Faut-il se durcir pour traverser les épreuves ? 257
2. Les séparations 262
3. L'arrivée d'un nouveau bébé 276
4. Les dissensions dans le couple parental 279
5. Vous divorcez 281
6. L'accident, la maladie, la souffrance 290

**X. Quelques idées pour vivre plus heureux
avec vos enfants**... 293

1. Soyez heureux 295
2. Écoutez 300
3. Communiquez avec le corps, le cœur, la tête,
et de personne à personne 305
4. Sentez votre bonheur d'être parent 309

Conclusion 311

Bibliographie 313

Annexe 317

Impression réalisée sur CAMERON
par BRODARD ET TAUPIN
La Flèche
en septembre 1999

Imprimé en France
Dépôt légal : septembre 1999
N° d'édition : 99203 — N° d'impression : 1057W